PRENTICE HALL
Selecciones
LITERARIAS
COPPER
BRONZE
SILVER
PRENTICE HALL
Upper Saddle River, New Jersey
Needham, Massachusetts

ISBN 0-13-418039-9

3 4 5 6 7 8 9 10   00 99 98 97

Cover: Student Art *Colores y sabores de nuestra cultura (Colors and Flavors of Our Culture),* Vincent Valdez, Burbank High School, San Antonio, Texas

PRENTICE HALL
Simon & Schuster Education Group
A Viacom Company

Contributing Editor

Jacqueline Kiraithe-Córdova, Ph.D.
Professor of Spanish, TESOL and Foreign Language Teacher Education
Department of Foreign Languages and Literatures
California State University, Fullerton

Review Board

Acknowledgments
Editorial, design, and production coordination by Curriculum Concepts.

Art credits begin on page 149.

Grateful acknowledgment is made to the following for permission to reprint copyrighted material:

Susan Bergholz Literary Services, and Grupo Santillana
"Once" and "Papá que se despierta cansado en la oscuridad" from *El Arroyo de la Llorona*. Copyright © by Sandra Cisneros 1991. Translation copyright © by Liliana Valenzuela 1996. Published by Vintage Español, a division of Random House, Inc., New York. Reprinted by permission of Susan Bergholz Literary Services, and Grupo Santillana, New York. All rights reserved.

Robert Bly
"Amigos todos nosotros" is from an essay of Pablo Neruda titled "Childhood and Poetry."

Heirs of Arturo Capdevila
"Umbral" by Arturo Capdevila from *Simbad* reprinted with permission of Delia Capdevila de Fiori.

Cinco Puntos Press
"Ya Aprenderás" by Joe Hayes, from *"¡Cuidado con las mujeres astutas!"* Copyright © 1994 by Joe Hayes. Reprinted by permission of Cinco Puntos Press.

(Continued on page 149)

Contenido

Caminemos juntos

Depende de ti

Conflicto y resolución

El mundo de la imaginación

Lee activamente

¿Cómo se relaciona esta lectura con mi mundo?

¿Cómo puedo aprovechar mejor lo que leo?

La respuesta a preguntas como éstas es ser un lector activo, un lector comprometido. ¡Como lector activo, tú mismo estás a cargo de la situación de la lectura!

Las siguientes estrategias te indican cómo pensar como lector activo. Siéntete libre de elegir aquéllas que se adecuan mejor a cada situación.

ANTES DE LEER

INTRODUCCIÓN

¿Qué te sugieren los títulos y las ilustraciones? ¿De qué tratará la selección?

HAZTE ESTAS PREGUNTAS

¿Qué quiere comunicar el autor con la lectura?

¿Qué aprendes con el tema?

¿Cómo se relaciona esta selección con tu vida?

APLICA LO QUE SABES

¿Qué sabes ya?

ADIVINA

¿Qué pasará? ¿Por qué? Puedes cambiar de opinión a medida que vas leyendo.

PREGÚNTATE

¿De qué trata la lectura? ¿Por qué hacen los personajes lo que hacen? ¿Por qué te da el autor ciertos detalles o usa una palabra determinada? Tus preguntas te ayudarán a inferir y verificar los hechos.

VISUALIZA

¿Cómo serían estos sucesos y personajes en una película? ¿Cómo se reflejarían las descripciones del escritor en una fotografía?

RELACIONA

¿Son los personajes como tú, o como alguien que tú conoces? ¿Qué harías tú en situaciones similares?

DESPUÉS DE LEER

RESPONDE

Comenta lo que has leído. ¿Qué piensas?

EVALÚATE

¿Cómo te fue? ¿Fueron acertadas tus predicciones? ¿Encontraste respuesta a tus preguntas?

CONTINÚA

Muestra lo que sabes. Involúcrate. Haz un proyecto. Sigue aprendiendo.

El ejemplo que se muestra en la página siguiente, ilustra lo que pensó Uri Támez mientras leía activamente "El juicio de los árboles contra el hombre".

Me llamo Uri Támez. Estudio en la escuela "La Mar Middle School" en McAllen, Texas. Me gustó este cuento porque me hizo pensar en el ambiente y cómo no siempre nos ocupamos de cuidar a los árboles. Las notas que están en los márgenes de la lectura expresan mis pensamientos y preguntas según lo leía.

Uri Támez

El juicio de los árboles contra el hombre

Claudia Ivanova Molina Cifuentes

Se me hace que se va a tratar de que los árboles juzgan a los humanos por sus acciones. [introducción]

Pienso que el cuento tendrá que ver con la protección de los árboles porque se ven enojados porque a lo mejor un humano trató de cortar a un amigo de ellos. [Adivina]

En una montaña lejana se oían las voces de unos grandes señores. Esos grandes señores eran los árboles, los cuales se encontraban en un juicio con un río. Ese río era el hombre, quien atormentado y sentado en una silla se agarraba la cabeza en señal de preocupación. Todos los árboles de todas las especies y de todos los climas habían asistido a ese juicio, para ver si se hacía justicia, y para ver la derrota del hombre.

Momentos después se le dio la palabra a la Defensa de los árboles, y él llamó al señor Eucalipto para que dijese su relato.

—Yo estaba tranquilo con mi familia y con mis amigos admirando el hermoso paisaje y resguardando en nuestras ramas a las aves del cielo. ¡¡De pronto!! vi con gran terror y susto al hombre con un hacha enorme en las manos, talando el cuerpo de mi hijo en todas partes, y así siguió con todos los demás. De esa

¿De qué trata el juicio? Un humano vino con una enorme hacha y comenzó a cortar a todos los árboles en la montaña, pero varios sobrevivieron.
[Pregúntate]

Palabras básicas

se hacía justicia: se trataba a uno como lo merecía
derrota: la ruina
talando: cortando los árboles por el pie

masacre sólo nos salvamos algunos cuantos en esa montaña.

Entonces la Defensa de los árboles preguntó:

—¿Y para qué cortaron tantos árboles?

—Para hacer carreteras y vías de comunicación entre ellos— le contestó.

—Gracias— le dijo la defensa.

Luego pidió la palabra la Defensa del hombre:

—Su Señoría, el hombre hace lo que hace por la superación[1] de su especie no por ser malo ni por otra cosa. Ahora permítame interrogar a un testigo.

Pienso que ahora el hombre va a contar su lado de la historia. [Adivina]

—Aceptado— le contestó Su Señoría.

La Defensa llamó a la señora Ceiba, quien dijo: —¿No es cierto señora Ceiba que Ud. vio cuando el hombre sembraba árboles?

La señora Ceiba con voz pasiva dijo:

—Sí, es cierto, pero al igual vi cuando cortaba cientos de árboles para exportar sus maderas.

—¿Pero volvió a sembrar árboles en el mismo lugar?

—No —le contestó— yo nunca vi que él sembrara árboles en el mismo lugar en donde los talaba.

No es justo. El hombre los sembró y entonces son de él. Por eso los cortó para exportar la madera. [Relaciona]

—Gracias— le dijo la Defensa.

La Defensa de los árboles llamó al señor Caoba y le interrogó:

—Señor Caoba, díganos su relato por favor.

—Yo me encontraba comiendo en una mañana soleada, donde todas las aves salían al vuelo, y de repente vi al

1. **superación:** acción y efecto de superar, dejar atrás dificultades u obstáculos

Palabras básicas

masacre: matanza

hombre con una escopeta[2] enorme en las manos y de pronto ¡¡¡pum!!! ¡¡pum!!... sonó la escopeta y derribó a muchas aves, y no era para alimentarse, sino para algo que ellos llaman hacer deporte.

—¿Y sólo eso vio?— le preguntó la Defensa.

—No —le contestó—. También vi cuando se llevaron al señor gusano de seda, para meterlo al agua hirviendo y sacarle un hilito que les sirve para hacer vestidos finos que no son necesarios.

¿De qué especie de gusano obtienen el hilo de seda?
[Pregúntate]

—Gracias— le dijo la Defensa, y prosiguió:

—Lo ve su Señoría: el hombre no hace más que perjudicar[3] a todas las criaturas de todas las especies del mundo entero.

El Juez y los del Consejo deliberaron, y de pronto el Juez dio la sentencia:

—Se le declara al acusado culpable de los hechos, y se le condena a la extinción.

Pero los árboles no más dieron su parte de la historia, y no dejaron al hombre dar su testimonio. Entonces yo pienso que no es justo. Yo esperaba un final mejor o un juicio justo.
[Responde]

—La sesión se da por terminada —dijo Su Señoría.

Y la Defensa del hombre, el perro fiel y el buen amigo, sólo agachó la cabeza, y se le vio una lágrima rodando por su mejilla.

Este juicio me ayudó a aprender sobre el medio ambiente y protegerlo más.
[Continúa]

---

2. escopeta: arma de fuego de uno o dos cañones que se usa generalmente para cazar

3. perjudicar: causar daño

Con *El juicio de los árboles contra el hombre*, **Claudia Ivanova Molina Cifuentes** expresa su preocupación por la preservación del ambiente, haciéndose eco y portavoz de una preocupación generalizada debido al maltrato de la naturaleza por parte de los seres humanos.

Responde

- ¿Has ido a un bosque? ¿Cómo era?
- ¿Que harías si fueras el dueño de un bosque?

Analiza la lectura

Recuerda

1. ¿Cuál es el tema en *El juicio de los árboles contra el hombre*?

Interpreta

2. ¿Por qué están enojados los árboles con el hombre?
3. ¿Es necesario hacer todo lo que el hombre hace con la naturaleza?

Aplica lo que sabes

4. ¿Por qué crees que el juez pronuncia la sentencia condenando al hombre a la extinción?

Para leer mejor

Uso del lenguaje específico

En un relato, el autor puede utilizar el lenguaje específico en un contexto determinado para ilustrar su historia. Por ejemplo, el lenguaje jurídico, deportivo, religioso o cualquier otro tipo de lenguaje que se refiere a un aspecto específico de la realidad. En "El juicio de los árboles contra el hombre," ¿qué expresiones encuentras que son típicas del lenguaje jurídico?

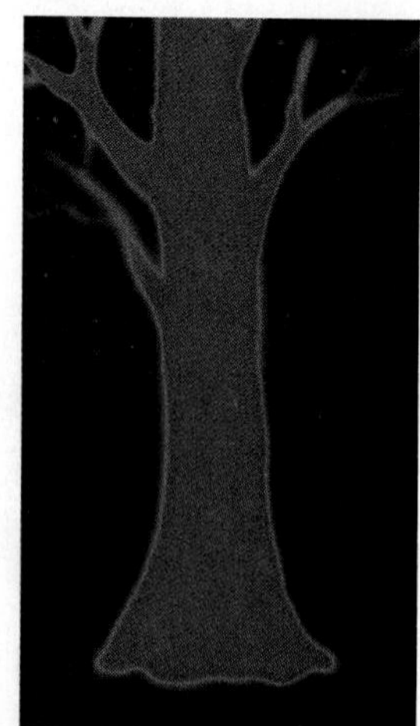

Ideas para escribir

Como "El juicio de los árboles contra el hombre" muestra, el autor escribió su relato en forma de juicio. Otros relatos se pueden escribir en forma de partidos, si se trata de deporte, o de oración si es un tema religioso, y así por el estilo.

Cuento Escribe un cuento o relato en el que utilices términos o expresiones típicas de un contexto de la realidad que te interese.

Ideas para proyectos

Este relato no podría haber sido escrito si el autor no hubiera conocido las partes que participan en un juicio y las posiciones que estos miembros ocupan. Con la ayuda de enciclopedias o de personas que tengan conocimiento de las leyes, averigua cuáles son las funciones que cumple cada participante en un juicio.

Dramatiza Con varios compañeros escribe y dramatiza un litigio menor.

¿Estoy progresando?

Responde a estas preguntas en tu diario:

¿Qué he aprendido acerca de los lenguajes específicos de los distintos aspectos de la realidad que se utilizan en los relatos?

¿Qué he aprendido sobre un proceso judicial?

¡La aventura soy yo!

La DéCouverture, 1993 Jean-Claude Gaugy *Courtesy of the artist*

¡Entérate!

Las formas y los colores que rodean a la persona en la ilustración bien podrían representar los triunfos y derrotas de su vida. Los vaivenes de tu vida son las experiencias que forman tu identidad — ésta es tu propia aventura. Es muy probable que te preguntes: ¿Quién soy? ¿Cuál es mi papel en la vida? ¿Adónde voy?

Actividades

En grupo En un grupo pequeño, dibujen un cartel que muestre sus intereses. Debajo de cada dibujo escriban sus nombres, y después escriban frases describiendo los intereses de cada uno.

Actividades

Por tu cuenta Dibuja tres diagramas en forma de telarañas con tu nombre en el centro de cada uno. El primero, representará tus intereses y experiencias del pasado; el segundo representará tus intereses y experiencias del presente y el tercero, los intereses y experiencias que proyectas tener dentro de diez años.

Menú de proyectos

Piensa en los siguientes proyectos y escoge uno que te interese. Hay más detalles en la página 32.

- **Álbum de identidad**
- **Mapa de tu vida**
- **Exhibición sobre el pasado, el presente y el futuro**

Actividades

Presentación

Once de Sandra Cisneros
Puro cuento del caracol Bú de Laura Devetach
Abrazo de Gabriel Olvera

¿Cómo me veo y cómo veo a mi mundo?

Aplica lo que sabes

Los cinco sentidos juegan un papel muy importante en tu memoria. Al recordar algo, seguramente piensas en los sonidos, las texturas, los olores, las imágenes, las sensaciones, y hasta los sabores que fueron parte de esa experiencia. De la misma manera estas impresiones pueden volver al recordar a alguien.

Piensa en una persona, un animal, un lugar o en algo importante para ti. Enumera cinco detalles asociados con los cinco sentidos.

Lee activamente

Identifica los detalles sensoriales

Los escritores usan detalles percibidos a través de los sentidos para dar vida a sus obras. La identificación de los detalles sensoriales te ayuda a ver, oír, tocar, oler y saborear lo que se describe. Busca estos detalles en las tres selecciones que has leído y haz un diagrama como el siguiente:

cosas que se:	Once	Puro cuento del caracol Bú	Abrazo
ven	el suéter rojo		
oyen			la voz del abuelo
huelen			
saborean			
sienten (emociones)			

Once

SANDRA CISNEROS
Traducción de Liliana Valenzuela

Lo que no entienden acerca de los cumpleaños, y lo que nunca te dicen, es que cuando tienes once también tienes diez, y nueve y ocho y siete y seis y cinco y cuatro y tres y dos y uno. Y cuando te despiertas el día que cumples once años, esperas sentirte once, pero no te sientes. Abres los ojos y todo es tal como ayer, sólo que es hoy. Y no te sientes como si tuvieras once para nada. Todavía te sientes como si tuvieras diez. Y sí los tienes, por debajo del año que te vuelve once.

Como algunos días puede que digas algo estúpido, y ésa es la parte de ti que todavía tiene diez. Y otros días puede que necesites sentarte en el regazo de tu mamá porque tienes miedo, y ésa es la parte de ti que tiene cinco. Y tal vez un día cuando ya seas grande necesites llorar como si tuvieras tres, y está bien. Eso es lo que le digo a mamá cuando está triste y necesita llorar. Tal vez se siente como si tuviera tres.

Porque el modo como uno se hace viejo es un poco como una cebolla o los anillos dentro de un tronco de árbol o como mis muñequitas de madera que embonan una dentro de la otra, cada año dentro del siguiente. Así es cómo es tener once años.

No te sientes de once años. No luego, luego. Tarda varios días, hasta semanas, a veces hasta meses antes de que digas once cuando te preguntan. Y no te sientes como una niña inteligente de once años, no hasta que ya casi tienes doce. Así es.

Sólo que hoy quisiera no tener tan sólo once años repiqueteando dentro de mí como centavitos en una caja de Curitas[1]. Hoy quisiera tener ciento dos años en lugar de once porque si tuviera ciento dos hubiera sabido qué decir cuando la Señorita Price puso el suéter rojo sobre mi escritorio. Hubiera sabido cómo decirle que no era mío en lugar de quedarme sentada ahí con esta cara y sin saber qué decir.

"¿De quién es esto?" dice la Señorita Price, y levanta el suéter para que toda la clase lo vea. "De quién? Ha estado metido en el ropero durante un mes."

"Mío no," dice todo mundo. "Mío no."

"Tiene que ser de alguien," la Señorita Price sigue diciendo, pero nadie se puede acordar. Es un suéter feo con botones de plástico rojos y un cuello y unas mangas tan estiradas que lo podrías usar como cuerda de

1. Curitas: una marca de vendas

Palabras básicas

regazo: falda
repiqueteando: tintineando, tañendo o sonando repetidamente

Portrait of Virginia, 1929 Frida Kahlo *Schalkwijk/Art Resource New York*

saltar. Tal vez tiene mil años y aún si fuera mío no lo diría.

Tal vez porque soy flaquita, tal vez porque no le caigo bien, esa estúpida de Sylvia Saldívar dice, "Creo que es de Raquel." Un suéter feo como ése, todo raído y viejo, pero la Señorita Price le cree. La Señorita Price agarra el suéter y lo pone justo en mi escritorio, pero cuando abro la boca no sale nada.

"Ése no es, yo no, usted no está ...No es mío," digo por fin con una vocecita que tal vez era yo cuando tenía cuatro.

"Claro que es tuyo," dice la Señorita Price. "Me acuerdo que lo usaste una vez." Porque ella es más grande y la maestra, tiene la razón y yo no.

No es mío, no es mío, no es mío, pero la Señorita Price ya está pasando a la página treinta y dos, y al problema de matemáticas número cuatro. No sé por qué pero de repente me siento enferma adentro, como si la parte de mí que tiene tres quisiera salirme por los ojos, sólo que los cierro con todas mis ganas y muerdo bien duro y me trato de acordar que hoy tengo once años, once. Mamá me está haciendo un pastel para hoy en la noche y cuando papá venga a casa todos van a cantar feliz cumpleaños, feliz cumpleaños a tí.

Pero cuando el mateo se me pasa y abro los ojos, el suéter rojo todavía está ahí parado como una montañota roja. Muevo el suéter rojo a la esquina de mi escritorio con la regla. Muevo mi lápiz y libros y goma tan lejos de él como sea posible. Hasta muevo mi silla un poquito a la derecha. No es mío, no es mío, no es mío.

Estoy pensando por dentro cuánto falta para el recreo, cuánto falta para que pueda agarrar el suéter rojo y tirarlo por encima de la barda de la escuela, o dejarlo ahí colgado sobre un parquímetro[2], o hacerlo bolita y aventarlo[3] al callejón. Excepto que cuando acaba la clase de matemáticas, la Señorita Price dice fuerte y enfrente de todos, "Vamos, Raquel, ya basta," porque ve que empujé el suéter rojo hasta la orillita de mi escritorio donde cuelga como una cascada, pero no me importa.

"Raquel," dice la Señorita Price. Lo dice como si se estuviera enojando. "Ponte ese suéter inmediatamente y déjate de tonterías."

"Pero si no es—"

"¡Ahora mismo!" dice la Señorita Price.

Es cuando quisiera no tener once, porque todos los años dentro de mí—diez, nueve, ocho, siete, seis, cinco, cuatro, tres, dos, y uno—están empujando desde el interior de mis ojos mientras meto un brazo por una manga del suéter que huele a requesón y

2. parquímetro: el aparato que cobra el estacionamiento del automóvil

3. aventarlo: tirarlo al aire

4. sarnoso: que tiene sarna, en este caso significa sucio y gastado

Palabras básicas

raído: usado, gastado
requesón: queso que se forma con los residuos de la leche

luego el otro brazo por la otra y me paro con los brazos abiertos como si el suéter me hiciera daño y si, todo sarnoso[4] y lleno de microbios que ni siquiera son míos.

Ahí es cuando todo lo que he estado guardando dentro desde esta mañana, desde cuando la Señorita Price puso el suéter en mi escritorio, por fin sale, y de repente estoy llorando enfrente de todo mundo. Quisiera ser invisible pero no lo soy. Tengo once años y hoy es mi cumpleaños y estoy llorando enfrente de todos como si tuviera tres. Pongo la cabeza sobre el escritorio y entierro la cara en mi estúpido suéter de mangas de payaso. Mi cara toda caliente y la baba escurriéndome de la boca porque no puedo parar los ruiditos de animal que salen de mí hasta que ya no me quedan lágrimas en los ojos y mi cuerpo está temblando como cuando tienes hipo, y me duele toda la cabeza como cuando bebes leche demasiado aprisa.

***Orange Sweater*, 1955** Elmer Bischoff *San Francisco Museum of Modern Art*

Pero lo peor sucede justo antes de que suene la campana para el recreo. Esa estúpida Phyllis López, que es todavía más tonta que Sylvia Saldívar, ¡dice que se acuerda que el suéter rojo es suyo! Me lo quito inmediatamente y se lo doy, pero la Señorita Price hace de cuenta como si no hubiera pasado nada.

Hoy cumplo once años. Mamá está haciendo un pastel para hoy y cuando papá llegue a casa del trabajo nos lo comeremos. Va a haber velitas y regalos y todos van a cantar feliz cumpleaños, feliz cumpleaños a tí, Raquel, sólo que ya es demasiado tarde.

Hoy cumplo once años. Hoy tengo once, diez, nueve, ocho, siete, seis, cinco, cuatro, tres, dos, y uno, pero quisiera tener ciento dos. Quisiera tener cualquier cosa menos once, porque quiero que el día de hoy esté ya muy lejos, tan lejos como un globo que se escapa, como una pequeña *o* en el cielo, tan chiquitita que tienes que cerrar los ojos para verla.

Responde

¿Qué consejo le darías a Raquel?

Sandra Cisneros escribe sobre experiencias cotidianas como la de cumplir cierta edad o la importancia de los nombres. Es de origen méxicoamericano y muchos de sus textos reflejan su herencia cultural. Ha escrito *The House on Mango Street* y *Woman Hollering Creek*.

Puro cuento del caracol Bú

Laura Devetach

Cuando el caracol Bú se cansó de su casita que parecía un cucurucho, se la sacó y la dejó sobre una piedra. Una piedra de cuento, de un jardín de cuento, donde todo es puro cuento.

Ese día el jardín redondo tenía un sol de girasol y tres nubes de ovejitas blancas. Bú salió contento a buscar una casa nueva.

Debajo de un pastito encontró un grano de maíz amarillo, panzoncito y con nariz blanca.

—¡Qué grano tan pupipu! —dijo, y se lo puso para que fuera su casa.

Bú probaba su casa nueva por los canteros. Iba muy tranquilo, caminando como caminan los caracoles, que es más despacito que no sé qué, cuando saltó el sapo y lo saludó:

—¡Adiós, señora lombriz con un maíz arriba!

—¡Colelo! —contestó Bú muy ofendido, con los cuernos un poquito colorados.

Y siguió probando su casita nueva.

Después lo vio el grillo y le dijo:

—¡Adiós, señor tallarín con un maíz arriba!

—¡Colelo! —contestó Bú con los cuernos más colorados todavía.

Y siguió paseando por la yerbabuena que tenía olor verde y mucha pelusita[1]. Después se encontró con la tortuga, que lo saludó:

—¡Adiós, señor piolín con un maíz arriba!

—¡Colelo! —contestó Bú con los cuernos coloradísimos.

Y para que no lo confundieran más con lombrices, tallarines o piolines con un maíz arriba, se sacó el maíz y lo guardó para adorno. Se puso a buscar otra casa.

1. pelusita: vello de la hoja de yerbabuena

2. maní: cacahuete o cacahuate (Mex)

Palabras básicas

caracol: molusco propio de los lugares húmedos.
cucurucho: cono de papel
piolines: cuerdas o hilos finos

Se probó una cáscara de maní[2], pero el balcón lo tapaba entero y no podía sacar los cuernos al sol de girasol.

Después probó un pedacito de tiza que parecía una torre. Pero no le gustó porque no tenía campanas ni pajaritos.

Después un botón que dejaba pasar el viento. Y un papelito que se voló.

Y una hoja seca que hacía mucho ruido.

Y un jazmín cabeza para abajo.

Y una cáscara de nuez patas para arriba.

Y una caja de fósforos grande como un chanchito.

Y así Bú dio la vuelta al jardín redondo.

Por fin, sobre una piedra, vio su cucurucho blanco que le gustó otra vez y se lo puso.

—¡Col col! —dijo muy contento.

El cucurucho no le quedaba ni chico ni grande, ni puntiagudo.

Entonces se lo dejó puesto. Y en la punta lo adornó con el grano de maíz.

Cuenta el cuento del jardín redondo que cuando brilla la luna de pastilla de naranja, Bú sale a pasear. Los bichitos lo saludan:

—¡Adiós, caracol con un maíz arriba!

Y Bú contesta: ¡Col col!

Está muy contento paseando su casa, que se pone y se saca, porque, después de todo, ¿a quién no le gusta ponerse y sacarse su casa alguna vez?

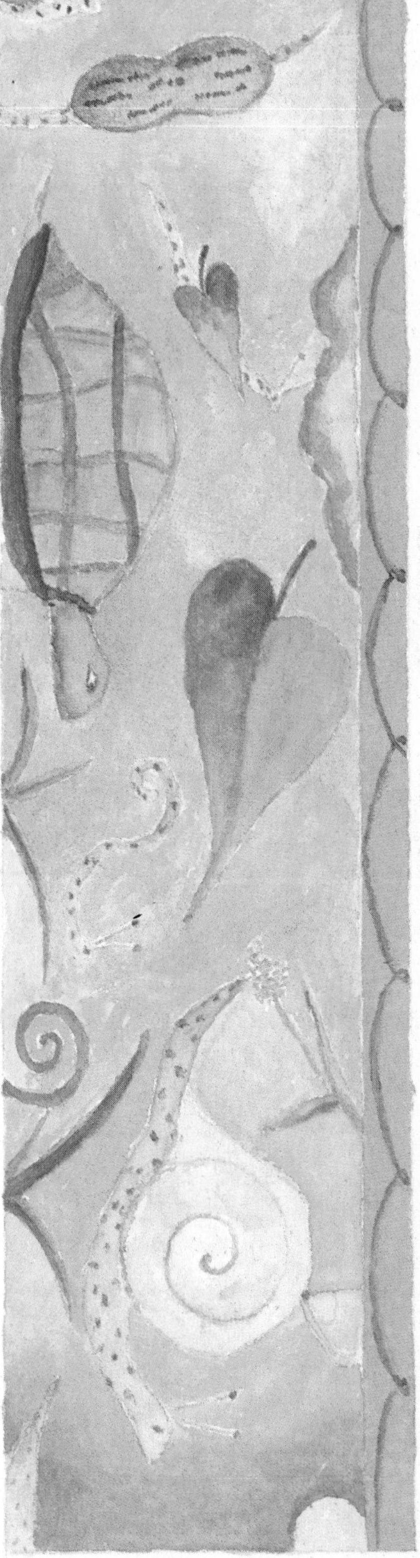

Palabras básicas

chanchito: puerquito, cochinito, cerdito

Laura Devetach escribe cuentos y poemas para niños. Vive en la ciudad de Córdoba, Argentina. Se describe a sí misma en uno de sus poemas como una: "mujer de buena voluntad/mucho trabajo/variadas noches sin sueño/y carencia total de aburrimiento".

Responde

¿Qué aprendiste de este cuento sobre la identidad?

Abrazo

Gabriel Olvera

Abuelo,
te siento
como una higuera arraigada
en tierra firme mexicana
5 los colibríes
congregados
respirando
tu sabiduría color púrpura
sorbiendo néctar acústico
10 del corazón
de tu gran flor,
tu vida.

Palabras básicas

higuera: el árbol del higo
arraigada: con las raíces fuertemente conectadas a la tierra
colibríes: pequeños pájaros que extraen el néctar de las flores con sus picos largos y finos
acústico: se refiere a algo que se oye

Algunos estudiantes en el valle de San Fernando al sur de California son muy afortunados. No sólo pueden leer la poesía de **Gabriel Alex Olvera**, sino que también lo pueden oír recitar sus versos en la clase de sexto grado en la cual enseña.

Responde

¿Qué opinas del abuelo? Dibuja su retrato con crayolas o marcadores.

Analiza la lectura

Recuerda

1. ¿Por qué llora Raquel el día que cumple los once años?
2. Finalmente, ¿cuál de las casas escoge el caracol Bú?
3. ¿En qué se parece el abuelo a una higuera en el poema *Abrazo*?

Interpreta

4. Explica una de las comparaciones que hace Raquel para decir lo que sucede cuando se crece.
5. En *Puro cuento del caracal Bú*, ¿qué aprende el caracol acerca de tomar sus propias decisiones?

Avanza más

6. Di como puedes utilizar las experiencias vividas por los personajes de los cuentos y el poema que has leído para responder a la pregunta: "¿Quién soy?"

Para leer mejor

¿Qué es el punto de vista?

A través del relato de Raquel vas conociendo el desarrollo de *Once*. Ella habla de sí misma al decir "yo" y "mí". Al ser Raquel narradora del cuento, tú puedes saber cómo ella se siente y también qué piensa de los demás personajes. Pues es personaje que además de tomar parte en la acción también narra el cuento. Está narrando en primera persona. El poema *Abrazo* también está narrado desde el punto de vista de la primera persona, aunque el autor no diga ni "yo" ni "mí".

1. Explica cómo sabes que *Abrazo* está escrito en primera persona.
2. Explica cómo sabes que *Puro cuento del caracol Bú* no está narrado en primera persona.

Ideas para escribir

Las cartas y las conversaciones pueden tener también un narrador en primera persona.

Cambio de identidad Imagina que eres Raquel y que vas a escribirle a un amigo(a) contándole qué pasó el día de tu cumpleaños. No dejes de contar cómo te sentiste, qué pensaste y detalles de lo ocurrido ese día.

Diálogos Imagina que tú eres Bú. Escribe una conversación que tendrías con otro caracol explicándole cómo escogiste tu casa.

Ideas para proyectos

Línea cronológica tridimensional

Si Raquel tuviera que escoger algo que le hiciera recordar para siempre sus once años, probablemente escogería un suéter rojo. Colecciona fotos u objetos de tus últimos tres cumpleaños. Organízalos en orden cronológico. Debajo de cada objeto o foto escribe cuántos años tenías entonces y qué significaban para ti esos objetos.

¿Estoy progresando?

Para ver cuánto has aprendido, dedica unos minutos a contestar estas preguntas:

¿Cómo me ayuda la identificación del punto de vista del narrador a entender lo que leo?

¿Qué aprendí en estas lecturas sobre cómo el autor utiliza los detalles sensoriales?

Actividades

Presentación

El día de las tortugas de Gustavo Roldán
Platero de Juan Ramón Jiménez

¿Qué puedo aprender sobre mí mismo(a)?

Aplica lo que sabes

Cuando lees algo sobre la gente o los animales puedes aprender algo importante sobre ti mismo(a) y los demás. Tal vez te des cuenta de lo que vales como persona, puedas ver que cada cual tiene importancia, y que cada uno de nosotros tiene algo que aportar.

Piensa en alguna ocasión en la que hayas sentido que no podías llegar a ser lo que querías. Vales como persona tal cual eres. Haz una lista de las personas o los hechos que te hicieron ver las cosas de otra manera.

Lee activamente

Cómo encontrar la información esencial

Los autores de las selecciones nos hacen ver qué importante es para los personajes poder conocerse a sí mismos y tener conciencia de qué papel juegan en sus respectivos mundos. En cada selección el autor nos da datos claves para la comprensión del texto. Busca datos esenciales sobre los personajes de las dos selecciones y haz un diagrama como el siguiente:

¿Cómo es una tortuga?

¿Cómo es un burro?

¿Cómo eres tú?

El tigre se miró en el río y se vio un bigote blanco, y pensó:
—¿Será que me estoy poniendo viejo?

Y se quedó haciendo dibujos en el suelo con la pata. Después de un rato rugió:

—¡Esto no puede quedar así!

Y se fue a charlar con otros animales.

—Creo que podríamos vivir muchos años más —dijo—, y el secreto está en saber cuál es el secreto.

—¡Yo sé, yo sé! —dijo el conejo—. Para vivir muchos años no hay que correr conejos. Ese es el secreto: no correr conejos.

—¡Eso, eso! —dijo la vizcacha, que siempre se dejaba convencer—, no correr conejos.

—¡Mamboretá pirú! —gritó la pulga, pero justo en ese momento el león le puso la pata encima y no pudo seguir hablando.

—No y no —dijo el gorrión—. Yo oí decir que los elefantes viven muchos años. Hay que hacer como los elefantes.

—¡Eso, eso! —gritó la vizcacha—. Hay que hacer como los elefantes.

—Claro que sí —dijo el conejo—, viven muchos años porque no andan corriendo conejos.

Palabras básicas

vizcacha: mamífero roedor parecido a la liebre que tiene la cola larga

gorrión: pequeño pájaro de plumaje gris obscuro

—¡Surubí guazú! —alcanzó a gritar la pulga que había conseguido asomarse bajo la pata del león, pero el león se movió para un costado y otra vez le puso la pata encima.

—¿Y cómo es un elefante? —preguntó el coatí.

Pero nadie sabía cómo era un elefante. Nadie lo había visto nunca, salvo la pulga que había viajado con un circo y sí sabía, pero cada vez que lograba asomarse bajo la pata del león, el león se movía y otra vez quedaba abajo.

—No y no —dijo la iguana—. Los elefantes no existen, y yo tengo la solución. La tortuga vive más que todos. Hay que hacer como la tortuga.

—¡Eso, eso! —gritó la vizcacha—. Hay que hacer como la tortuga.

—Claro que sí —dijo el conejo—. Hay que hacer como la tortuga, que vive muchos años porque nunca corre conejos.

Y ahí no más cada uno se fue a buscar algo que le sirviera de caparazón.

El tigre encontró una gran corteza de árbol.

La víbora un trozo de caña. La mariposa un trompito de eucalyptus.

La liebre y la vizcacha se repartieron un coco mitad y mitad. El león encontró un tronco hueco.

El sapo una cáscara de huevo.

Todos encontraron algo que les servía. Todos, menos la pulga.

Y así siguieron las cosas. Y no andaba mal, nadie se moría. Pero el mono no podía dar saltos en el aire, el coatí no podía trepar a los árboles, la paloma no podía volar, el tordo no podía silbar. Porque ésas son cosas que no hacen las tortugas.

Los animales paseaban por el monte, y todo era una cáscara que se movía lentamente. Y el monte parecía dormido, sin rugidos, sin carreras, sin saltos, sin silbidos. Sólo un lento caminar de tortugas que se cruzaban en silencio, dispuestas a vivir muchos años.

Sólo la pulga, tic tic tic, se paseaba de un lado para el otro, aprovechando que el león no la podía pisar.

—¡Curuzú Cuatiá! —decía—. Mientras no encuentre un caparazón que me guste muchísimo, no me pongo nada. Y me parece que no voy a encontrar ninguno.

Palabras básicas

rugidos: voces del león, bramidos
silbidos: sonidos que se producen al silbar

Y tic tic tic, seguía saltando de aquí para allá, sobre el gran empedrado de caparazones.

El mono y el coatí se juntaban y caminaban despacito, como caminan las tortugas. Y casi ni miraban las ramas de los árboles, porque las tortugas no miran las ramas de los árboles. Y no daban saltos mortales ni corrían carreras, ni todo ese montón de cosas que era tan lindo hacer pero que no hacen las tortugas.

Al final andaban un poco tristes.

Una mañana el sol salió lleno de color, el cielo amaneció más azul que nunca y las flores mostraban para todos lados su alegría.

El monito y el coatí se vieron desde lejos y comenzaron a acercarse para pasear juntos, pero caminaban tan despacito que no llegaban nunca. Ya llevaban como dos horas caminando sin poder encontrarse cuando, tic tic tic, vieron a la pulga que saltaba sobre ese mundo de tortugas, divertida a más no poder.

No lo pensaron siquiera. Dieron un manotón a sus caparazones y la cara se les llenó de sol, y los suspiros que dieron hicieron un viento fresco que alborotó a las flores.

El monito dio siete saltos mortales, el coatí trepó a tres árboles seguidos y un segundo después corrían juntos y se subían a los troncos y saltaban de rama en rama.

—No, no y no —dijo la vizcacha—. Yo quiero vivir muchísimos años muy tranquila.

Pero ya todos los animales habían visto a la pulga y el viento de suspiros se les había metido entre pelos y plumas, y hasta debajo del caparazón, y volaron cortezas y troncos huecos y cáscaras de huevos de un lado para el otro.

—No, no y no —dijo la vizcacha mirando para todos lados.

Pero ya no quedaba nadie con caparazón, y ella también empezó a sacárselo.

Y se oyeron silbidos y cantos y gritos, y hubo saltos y vuelos, y el monte se llenó de ruidos y movimientos.

De repente fue como si se le hubieran encendido todas las luces.

El monte volvía a ser el monte.

¿Cuál de los animales te causó mayor admiración? ¿Por qué?

Gustavo Roldán. Escritor y periodista. Recibió el Primer "Premio Periquillo" (México) por *El monte era una fiesta*. En 1992, recibió el Segundo "Premio Nacional de Literatura Infantil" por *Como si el ruido pudiese molestar*. Figura en la Lista de Honor de Alija por *Prohibido el elefante*.

Platero

Juan Ramón Jiménez

Platero es pequeño, peludo suave; tan blando por fuera, que se diría todo de algodón, que no lleva huesos. Sólo los espejos de azabache de sus ojos son duros cual dos escarabajos de cristal negro.

Lo dejo suelto, y se va al prado[1], y acaricia tibiamente con su hocico, rozándolas apenas, las florecillas rosas, celestes y gualdas... Lo llamo dulcemente: "¿Platero?", y viene a mí con un trotecillo alegre que parece que se ríe, en no sé qué cascabeleo[2] ideal...

Come cuanto le doy. Le gustan las naranjas, mandarinas, las uvas moscateles, todas de ámbar, los higos morados, con su cristalina gotita de miel...

Es tierno y mimoso[3] igual que un niño, que una niña...; pero fuerte y seco por dentro, como de piedra. Cuando paso sobre él, los domingos, por las últimas callejas del pueblo, los hombres del campo, vestidos de limpio y despaciosos, se quedan mirándolo:

—Tien' asero...

Tiene acero. Acero y plata de luna, al mismo tiempo.

1. **prado:** terreno llano
2. **cascabeleo:** sonido alegre, como de pequeñas campanas
3. **mimoso:** cariñoso, afectuoso

Palabras básicas

azabache: variedad de lignito de color negro intenso
escarabajos: insectos de caparazón duro, negro y brillante
gualdas: plural para el color entre amarillo y dorado

Juan Ramón Jiménez nació en España a fines del siglo pasado (1881). Después de realizar sus estudios en Madrid vivió por mucho tiempo en Moguer, su pueblo natal, atraído por la vida del campo. En este pueblo escribió su obra "Platero y yo". Más tarde, viajó a los Estados Unidos, trasladándose luego a Puerto Rico, en donde vivió hasta el día de su muerte. Estos viajes inspiraron muchos de sus últimos poemas.

Responde

Describe un animal, real o imaginario, que sea importante para ti.

Analiza la lectura

Recuerda

1. Di por qué en *El día de las tortugas* todos los animales tratan de imitar a las tortugas.
2. ¿Cuáles son las actividades preferidas de Platero?

Interpreta

3. ¿Qué importancia tiene la pulga en *El día de* las *tortugas*?
4. ¿Qué sugiere el autor cuando dice que Platero "tiene acero y plata de luna"?

Avanza más

5. Estos dos cuentos tratan de experiencias vividas por animales. ¿Qué significado tiene para ti ese hecho?

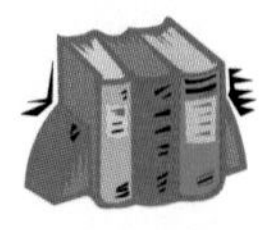

Para leer mejor

¿Qué es la personificación de los animales?

Sabes que los animales tienen su propia manera de comunicarse y que normalmente lo hacen con miembros de su propio grupo. Hay muchos cuentos en los cuales los animales y hasta las cosas hablan, como si fueran seres humanos. Los autores utilizan esta técnica para disfrazar las lecciones que quieren enseñar a sus lectores.

1. ¿Cómo te ayudan estas selecciones a entenderte a ti mismo?
2. ¿Cómo nos ayudan a reconocer nuestra propia identidad y nuestro papel en el mundo?

Ideas para escribir

Lo autores de cuentos, fábulas y hasta cartas utilizan la personificación como vehículo para la enseñanza.

Consejos Imagínate que eres la pulga de *El día de las tortugas*. Escribe una carta dando consejos a los otros animales. Explica por qué necesitan tus consejos.

Ideas para proyectos

Mis cuentos de animales favoritos

Probablemente habrás leído o escuchado otros cuentos en los que los animales piensan, hablan, cantan o bailan. Algunos cuentos nos enseñan lecciones importantes. Busca fotos o dibujos de animales que se asemejen a los personajes de por lo menos tres de tus cuentos predilectos. Para cada ilustración, escribe el título del cuento, el nombre del animal y una explicación sobre la lección que aprendiste.

¿Estoy progresando?

Piensa en lo que has aprendido y contesta estas preguntas.

¿Qué aprendí sobre la manera en que un autor utiliza la personificación de los animales?

¿Cómo puedo utilizar esta información para entender mi propia identidad?

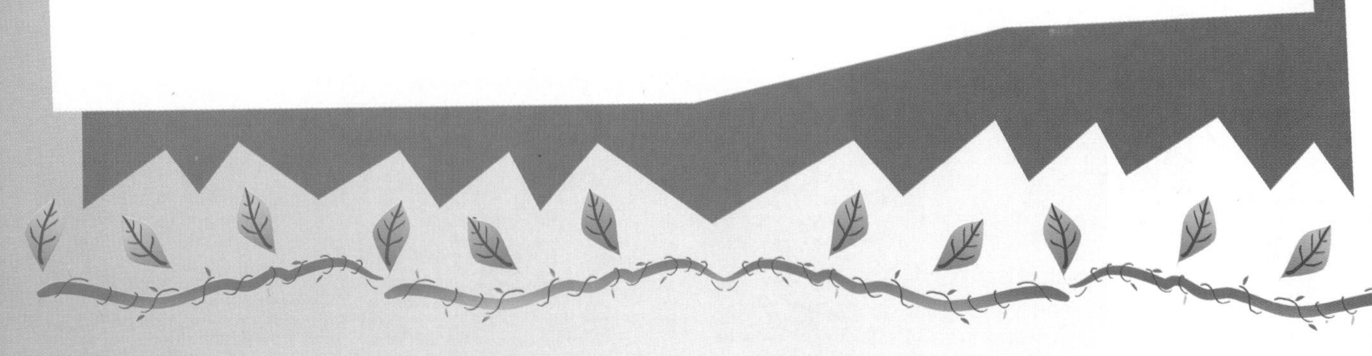

Actividades

Presentación

Umbral de Arturo Capdevila
Guy de Laura Devetach

¿Cómo ves el futuro?

Aplica lo que sabes

¿Alguna vez has soñado o imaginado que algo desagradable te iba a pasar? ¿Puedes recordar tu alivio cuando te diste cuenta de que **no** iba a ocurrir? A veces, sucede lo opuesto. Pensamos en que una cosa maravillosa podría ocurrirnos si hiciéramos algo distinto, pero después nos damos cuenta de que nos sentimos felices siendo nomás nosotros mismos, tal cual somos siempre.

Piensa en algo que te haya ocurrido alguna vez que te haya hecho sentir miedo o esperanza, o algo que te haya hecho soñar con una vida diferente. Escribe dos oraciones: una explicando por qué te alegras de que tal cosa no haya ocurrido, y otra explicando por qué estás contento de ser la persona que eres y de estar en el lugar que estás.

Lee activamente

Identifica las repeticiones

Los autores a veces usan la técnica de repetir ciertos elementos con la intención de dar un significado más claro al cuento o poema. A veces repiten la misma palabra o la subrayan para que sobresalga. A veces utilizan verbos en tiempo condicional para indicar que alguien sueña con algo especial que todavía no ha ocurrido. Identifica los elementos repetidos en las selecciones que siguen y haz un diagrama como el siguiente:

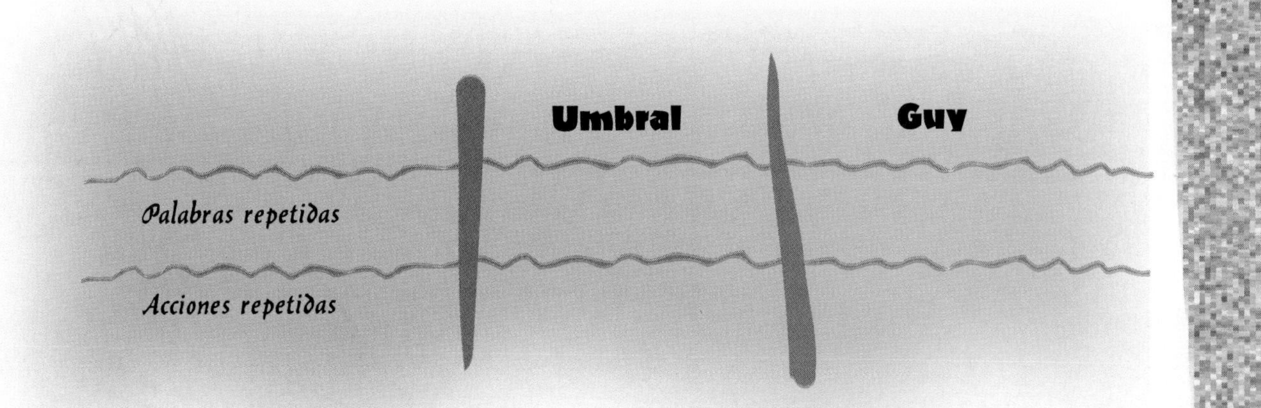

Umbral

Arturo Capdevila

En un umbral sentado, de niño discurría:

En un caballo negro,
una tarde me iría.
Mi madre por la casa
5 ¡cómo me llamaría!
Por la ciudad mi padre
¡cómo me buscaría!

Andando en mi caballo
con mucha gallardía,
10 a no sé qué comarca
sin nombre llegaría.
Una princesa rubia,
rubia me esperaría.

Proezas del camino
15 sin fin le contaría.
Y como bien se sabe
que la enamoraría,
con ella en una iglesia
blanca me casaría.
20 Mi madre, bien sabido
que nos bendeciría.
Mi padre por seguro
que nos perdonaría,
y a todos los amigos
25 mi historia contaría:
¡Bandido de muchacho[1]!
¡Quién nunca lo diría!
Y la ciudad entera
se maravillaría.

30 Con esto abro los ojos
ebrios[2] de fantasía.

Pero del propio sueño
corriendo, ya corría.
Corría por la casa:
35 "Ven, madre", repetía.
Madre, la dulce madre,
jamás la dejaría.
Me le colgaba al cuello...
Nadie por qué sabía...

El tiempo que se fue. 1926.

1. **¡Bandido de muchacho!:** ¡qué muchacho!
2. **ebrios:** borrachos

Responde

¿En qué se parece o se diferencia la fantasía descrita en el poema a alguna fantasía que hayas tenido?

Palabras básicas

umbral: entrada a una casa o a un cuarto
discurría: reflexionaba, imaginaba
gallardía: valor, gracia
comarca: región o distrito
proezas: hazañas, actos valerosos o heroicos

Arturo Capdevila nació en Córdoba, Argentina en 1889. Su obra literaria abarca todos los géneros: novela, cuento, ensayo, historia, biografía, leyenda, poesía, teatro, teología. Pero su mayor fama es como poeta; se destaca por el romance y, especialmente, por el romance histórico.

Guy

LAURA DEVETACH

El elefante del circo se llamaba Guy.

Tenía una trompa larga para barrerse el lomo con manojos de pasto. Y tenía dos orejotas de higuera.

El circo era chiquito y lleno de la música que los músicos tocaban con sus guitarras y baterías. Los músicos tocaban y los grandes y los chicos sentían burbujas en todo el cuerpo, porque la función estaba por empezar.

Cuando sonaban las guitarras y la batería Guy se paraba en dos patas y jugaba con una gran pelota roja, tirándola al aire.

Además de los músicos y de Guy, el elefante, en el circo estaba Nina.

Nina era como un montón de chispas. Se arqueaba saltando para aquí y para allá. Daba volteretas en el aire y giraba, giraba, hasta que su vestido de cintas hacía un batifondo de colores.

Y estaba Totón, el mago, con su sombrero lleno de conejitos y un canario que cambiaba de color cuando él hacía tip tep con los dedos.

Pero lo más lindo que tenía Totón era terminar

Palabras básicas

baterías: conjuntos de tambores; secciones de las bandas o las orquestas

sentado sobre la mesa mágica enseñando a los chicos alguno de sus trucos.

En el circo había también caballitos manchados, de crines muy largas.

Y varios monos que comían bananas y se colgaban de unos aros redondos.

Y un camello color aserrín.

Y un papagayo de pico brillante que sabía decir "un don din de la poli politana".

Y un ratoncito que vivía con los animales y a veces hacía pruebas en la pista, pero nadie lo veía porque era demasiado chiquito.

Un día el circo acampó cerca de un río que sonaba como si estuviera hecho de nueces. Clas, cles, clis, cantaba mojando el enorme collar de piedras redondas que bordeaba su orilla.

A Guy le gustaba jugar con el agua, así que se fue al trotecito a conocer el río.

Le costó acercarse porque las piedras —que también tenían el color de las nueces— lo hicieron bailotear sobre la arena.

—¡Uy que me caigo, que me caigo! —decía Guy.

Pero por fin llegó y se miró en el agua. Su cabezota se reflejó con trompa larga y orejas de hojas de higuera. Era lindo mirarse en el río. El agua pasaba, pasaba, y la cara se quedaba allí. Guy se miró durante largo rato.

Guiñó un ojo y después el otro.

Movió la trompa para aquí y para allá.

Sacudió las orejotas.

Puso cara de elefante enojado.

Puso cara de elefante sonriente.

Y estaba pensando que su cara le gustaba bastante cuando de repente, pácate, pisó una piedra redonda y se cayó.

Palabras básicas

crines: cerdas o pelos que tienen los caballos en el cuello

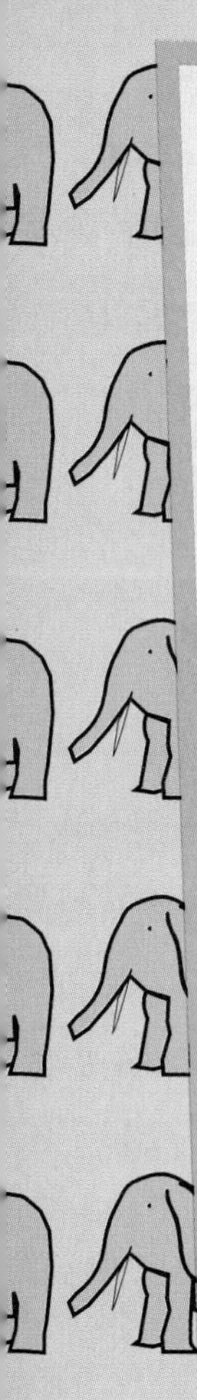

Y Guy, caído, no vio más su cabezota reflejada en el agua. Estirado sobre la arena húmeda, buscó y buscó su imagen pero no la encontró.

—¡Uy! —dijo con terror—. ¡No me veo en el agua! ¡Desaparecí! ¡Soy un elefante desaparecido!

Y se levantó de un salto. Despacito, miró de nuevo y vio su cabezota reflejada en el agua, con mucha cara de susto.

—¡Si me caigo, desaparezco! —dijo Guy angustiado—. Mejor trato de no caerme más. ¡No tengo ganas de ser un elefante desaparecido!

Y se alejó del río con pasos cortitos, caminando como si lo hubiesen almidonado. Tenía mucho miedo de volver a caerse.

—Un elefante ocupa mucho espacio, si cae de espaldas desaparecerá —iba murmurando Guy camino al circo. Y se cuidaba muy bien de no pisar piedras redondas.

Desde ese momento empezó a quedarse quieto, quieto.

Cada vez fue más difícil para él jugar con la gran pelota roja en las funciones del circo.

Dejó de pasear con el camello color aserrín.

Dejó de trotar con los caballitos manchados.

Dejó de decir con el papagayo "un don din de la poli politana".

No miró más los barriletes, ni las pruebas de los monos, ni levantó la cabezota para estornudar, porque no quería saber nada de caerse para atrás en un descuido.

Todos los amigos del circo fueron a ver qué le pasaba. Y a todos Guy les decía lo mismo:

—Un elefante ocupa mucho espacio, si cae de espaldas desaparecerá.

Los músicos tocaron las guitarras y la batería para Guy. Nina hizo cabriolas con su vestido de cintas. Todo el circo hizo de todo. Pero el miedo de Guy no se curaba con esas cosas.

Un día el ratón que hacía pruebas en la pista y al que nadie veía porque era demasiado chiquito, le dio tres palmadas en la cabezota y le dijo:

—Me parece Guy que esto es cosa tuya. Nada de lo que nosotros hagamos puede curar el miedo de caerse y desaparecer.

—Un elefante ocupa mucho espacio —contestó Guy—, si cae de espaldas desaparecerá.

Y se quedó tristemente quieto todo el día mirando pasar las hormigas, porque así estaba seguro de no caerse.

El circo chiquito siguió andando. Los músicos, Nina, Totón y todos los demás preguntaban a veces a Guy:

—¿Hasta cuándo vas a trabajar de estatua de elefante?

—Un elefante ocupa mucho espacio, si cae de espaldas desaparecerá —contestaba Guy que

Palabras básicas

barriletes: cometas, volantes, papalotes, chiringas

Circus Elephant Dame Laura Knight *Bridgeman/Art Resource, New York*

casi se había olvidado de decir otra cosa, porque ya no quería mover ni siquiera la lengua.

El circo era una cajita de luces y los chicos y los grandes se acordaban de Guy y pedían que saliera a jugar con la pelota roja.

Pero Guy movía solamente los ojos diciendo no, no, no.

Una noche en que los músicos tocaban una música llena de burbujas, Guy sintió muy fuerte en todo el cuerpo las ganas de jugar y de moverse. Era como una cosquilla que lo hizo pararse en dos patas por un ratito.

Pero en seguida tuvo miedo y volvió a quedarse quieto, quieto.

Al día siguiente le pasó lo mismo. Hasta tomó la pelota con la trompa y la hizo girar.

Y al otro día Guy también giró y se sintió muy bien bailando bajo las estrellas.

Pero volvió a quedarse quieto.

A la noche siguiente giró la pelota, giró Guy, y además inventó un juego nuevo que lo divirtió muchísimo.

Y estaba jugando y jugando olvidado de su miedo cuando de repente, pácate, pisó una piedra y se cayó.

Guy sintió como si el mundo se rompiera en pedacitos. Cerró los ojos para no verse desaparecer. Y tirado en el suelo, esperó y esperó.

Como no pasaba nada abrió

despacito los ojos. Vio su trompa enroscada justo en el lugar de las trompas de los elefantes.

Tanteando, tanteando, se tocó el lomo. Allí estaba su lomo redondito.

Se tocó las patas, una a una. Allí estaban, las cuatro.

Se tocó la cabezota. Y allí estaba, con ojos, orejas y todo.

—¡Me caí, me caí y no desaparecí! —gritó Guy abanicando las orejas.

Se hamacó con el lomo y, pácate, se paró sobre las cuatro patas.

Todos los amigos del circo fueron corriendo a ver qué pasaba con Guy, que gritaba tanto.

Y lo vieron tomar la pelota roja y bailar y tirarse al suelo y volverse a levantar y jugar con la pelota usando la trompa y las patas y todo su cuerpo de elefante como nunca, nunca, lo habían visto antes.

—¡Guy, Guy, Guy! —gritaban todos contentísimos.

Y Guy, todo de plata bajo la luna, sacudió las orejotas de hojas de higuera y dijo resoplando:

—Un elefante ocupa mucho espacio; si cae de espaldas ocupa mucho más, ¡pero si quiere se puede levantar!

Laura Devetach tiene un gran sentido del humor. Cuando describe las experiencias de animales y objetos, crea efectos cómicos para hacernos reír mientras trata temas más profundos como son el miedo y la sensación de incertidumbre que a veces tenemos.

Responde

¿Cuando eras más chico(a), tú o alguien que conoces le temían a algo que ahora parece sin importancia?

Actividades
Descubre el sentido

Analiza la lectura

Recuerda

1. ¿Con qué sueña el niño de *Umbral*?
2. ¿Por qué Guy deja de moverse?

Interpreta

3. ¿Por qué el niño de *Umbral* sueña con aventuras imaginarias?
4. ¿Por qué los demás integrantes del circo le preguntan a Guy cuánto tiempo va a continuar haciéndose la estatua?

Avanza más

5. ¿Qué podemos aprender de Guy cuando supera su temor y del niño de *Umbral* cuando se da cuenta que lo que soñamos no es siempre lo que realmente queremos?

Para leer mejor

Cómo la lectura nos ayuda a apreciar la melodía de un poema

Con un compañero de clase, lee *Umbral* en voz alta. Nota cómo el uso de los tiempos condicionales e imperfectos que terminan en ***-ía*** agregan melodía y ritmo, al igual que significado, a la poesía.

1. ¿Por qué utiliza el autor esos tiempos verbales? ¿Cómo contribuyen al poema?
2. Si se contara la misma historia en prosa en vez de poesía, ¿sería igualmente interesante? ¿Por qué?

Ideas para escribir

¿Qué tiempos verbales podrías utilizar para describir sucesos que aún no han ocurrido?

Predecir el futuro Escribe una predicción del futuro de Guy. Incluye qué tipo de trabajo hará, dónde lo hará, y cómo se sentirá.

Imaginación Piensa en cosas que podrían ocurrir en tu futuro si tus sueños se hicieran realidad. Escribe tu propio poema y busca formas de dar énfasis a lo que podría ocurrir.

Ideas para proyectos

Tiras cómicas Crea una tira cómica o una serie de dibujos mostrando una situación en la que una persona o un animal se da cuenta de que la causa de sus temores es en realidad su propia fantasía.

¿Estoy progresando?

Tras la lectura de estas selecciones, responde a estas preguntas en tu diario. *¿Cómo me entiendo mejor? ¿Qué otro tipo de lecturas me enseñarían que no debo de tener miedo, ni hacer planes que no sean realistas?*

¡La aventura soy yo!

Los proyectos..............

Tu proyecto te ayudará a contestar las preguntas de esta unidad. Cuando haces un proyecto puedes aprender más sobre "la aventura que eres tú". Haz uno de los siguientes proyectos para seguir descubriendo más sobre la aventura que eres.

Álbum de identidad Muestra en un álbum algo sobre la aventura de tu vida. Busca y organiza fotos e ilustraciones de revistas y periódicos, y otros tipos de recuerdos. Escribe anécdotas o memorias acerca de tus experiencias. Incluye entrevistas con gente que te han ayudado en la aventura de buscar tu propia identidad.

Mapa de tu vida Crea un mapa en forma de camino para representar tu vida. A lo largo del camino, pon símbolos para marcar acontecimientos significativos. Incluye documentos importantes, como anuncios de tu nacimiento, invitaciones, fotos y tarjetas postales relacionadas con dichos acontecimientos.

Exhibición sobre el pasado, el presente y el futuro Prepara una exhibición con una variedad de recursos que enfoquen tu pasado, tu presente y tu futuro. Utiliza dibujos, mapas, gráficas, grabaciones, objetos, textos que, en conjunto, cuenten la "aventura que soy yo", antes, ahora y después.

En busca de la lluvia
de Tere Remolina

Pedro y su perro salen a buscar la lluvia porque la tierra en su pueblo está muy árida. A través de esta búsqueda, Pedro también aprende muchas cosas de sí mismo y del amor que siente por su perro.

Historia verdadera de una princesa
de Inés Arredondo

Ésta es la historia de la Malinche, la princesa que ayudó a Hernan Cortés en la conquista de México, descubriendo así su propia identidad.

Nana Bunilda come pesadillas
de Mercé Company
traducido del catalán por Manuel Fernández

Ésta es una historia simpática de una abuela risueña que "se come las pesadillas" que atormentan a los chicos.

Caminemos juntos

Untitled Jim Osborn *Courtesy of the artist*

¡Entérate!

Como sabes, dar la mano a alguien es una forma de comenzar una amistad. Mientras lees las selecciones, reflexiona sobre las siguientes preguntas: ¿Qué significa ser parte de una familia? ¿Para qué sirven las amistades? ¿En qué somos diferentes y en qué nos parecemos?

Actividades

En grupo Hagan una lista de situaciones en donde lo más importante es establecer vínculos entre la gente. Hablen de cómo la gente se "da la mano" cuando quieren alcanzar metas en común. Escojan una situación de este tipo y dramatícenla. Después, discutan las diferentes acciones y reacciones de cada personaje.

Actividades

Por tu cuenta Al leer un cuento o un poema, estás "dándole la mano" al autor y a sus personajes. La lectura facilita la visualización de personajes reales o ficticios, de otras culturas, del pasado y del futuro. Diseña un marcapáginas con este tema que incluya tu relación con el autor y sus personajes a través de la lectura. Agrega una cita apropiada y dibujos originales.

Menú de proyectos

Entre los siguientes proyectos, escoge el que te gustaría hacer. Hay más detalles en la página 58.

- **Presentación multimedia**
- **Actuación**
- **Cartel de relaciones positivas**

Actividades

Presentación

Capas de papel de Isabel Suárez de la Prida
El muchacho y el abuelito de Rudolfo A. Anaya
Historia de cómo se sostiene una pared de Simon J. Ortiz

¿Cómo nos ayudamos los unos a los otros?

Aplica lo que sabes

Seguramente habrás deseado que un(a) amigo(a) o miembro de la familia supiera exactamente cómo es ser tú, pero ¿has intentado alguna vez saber exactamente cómo es ser otra persona? Puedes aprender mucho al verte "en el pellejo" de otra persona. Las actividades que siguen podrían ayudarte a ello.

- Con un(a) compañero(a), conversa sobre situaciones en las que hay un desacuerdo entre dos personas. Imaginen una situación específica y hagan un minidrama en el que se resuelve el desacuerdo.
- Con un(a) compañero(a), imaginen que son los personajes de un cuento. Los personajes deben ser diferentes a ustedes. Hágan preguntas que se contesten con "sí" o con "no" para revelar sus identidades adoptadas.

Lee activamente

Cómo identificar los problemas

Al imitar o intepretar a otra persona, aprendes sobre ti mismo. Al leer obras literarias, también aprendes sobre ti mismo. Es importante identificar **los problemas** que enfrentan los personajes para poder entender sus actos y actitudes. También, te permite pensar cómo reaccionarías si estuvieras "en su pellejo".

Mientras lees los dos cuentos y el poema que siguen, identifica **el problema** que presenta el autor, y cómo lo resuelve. Entonces, completa un diagrama como el siguiente:

Título	Problema	Resolución del problema
Capas de papel	[illegible]	[illegible]
El muchacho y el abuelito		
Historia de cómo se sostiene una pared		

Capas de papel

Isabel Suárez de la Prida

En una tierra llamada "Frontera de los Bosques", dos viejas musarañas[1] de nombre Tlish y Tlash, un hermoso venado cola blanca y una ardilla rojiza, llegaron hasta la casa del armadillo[2] sabio para consultarle.

El armadillo sabio vivía cerca del Venacho en una gruta limpia, acogedora, espaciosa, luminosa por las mañanas y apacible por las noches.

Aquellos animales le buscaban ahora por causa de unos niños.

Estos niños llegaban día con día al bosque, esperaban la bruma, jugaban entre ella, saltaban para atrapar la niebla en unas canastas, ¡como si la niebla se dejara coger! Y después, por las tardes, se iban. Así siempre.

Para los animales era tan grato ver a los niños disfrutar su juego de los días, que deseaban lograr que ellos se quedaran en el bosque para siempre.

Por ese motivo hablaron al armadillo:

—Sus risas se esparcen como el canto de los zenzontles[3] —dijo Tlish.

—Su mirada recuerda la de los pajarillos "Ojos de Lumbre" —dijo Tlash.

—Su ir y venir —añadió el cola blanca— recuerda a los chupamirtos huiztitziles[4] que beben en las flores.

—Pero al atardecer —explicó la ardilla, tristemente— cuando las agujitas del aire se hunden en la carne, huyen en desbandada y se pierden más allá de los bosques.

---

1. musarañas: mamíferos pequeños parecidos a los ratones

2. armadillo: mamífero de caparazón dura y cola fina y larga de América meridional

3. zenzontles: pájaros parecidos al mirlo, pero de plumaje pardo y con las puntas de las alas y las colas blancas

4. chupamirtos huiztitziles: colibríes mexicanos; les gusta extraer la miel de las plantas espinosas

Palabras básicas

gruta: cueva
acogedora: cómoda, hospitalaria
apacible: pacífico
grato: agradable
esparcen: desparraman
en desbandada: separados

—Puede que tengan frío —opinó el armadillo.

—Puede que tengan frío —repitieron unidas Tlish y Tlash.

— ...Porque lejos, más allá de los bosques, más allá de los lagos, la tierra es caliente...

—¡La tierra es caliente! —repitió la ardilla, sorprendida.

—Entonces —aconsejó el sabio — busquemos algo que los proteja del aire, así no tendrán frío.

Y entonces, los cuatro animales salieron a buscar y buscar la protección del aire que, ellos creían, los niños necesitaban. Pero las agujitas del aire estaban en todos lados, ¿qué se iba a poder hacer contra ellas?

Pronto llegaría el tiempo de los hielos, cuando las hojas secas esconden los caminos; tiempo en que la nieve que habita los volcanes se desprende en plumitas y encanece los árboles, tiempo en que las agujitas se vuelven dolorosas como púas de maguey[5] y forman un cerco a la frontera del bosque: los niños no podrían pasar.

Los cuatro animales tenían que encontrar una solución antes de que los niños, que allí frente a sus ojos gozaban jugando con la niebla, ya no pudieran entrar al bosque...

Y llegó el armadillo. Se complacía al ver a los niños reír, al ver sus ojos brillar... No, no, él nunca desearía que ellos se fueran.

© Douglas Smith 1990

En ese lugar ya el aire era frío, más que en los días anteriores; llegaría la nieve. Las agujas entre el viento se hundían con facilidad en la carne. Las musarañas se quejaban entre ellas del frío, el venado se sacudía y la ardilla, saltando, se ocultó buscando calor en su despensa.

El armadillo, entonces, pidió ayuda a la niebla y la niebla le cubrió la cabeza. Y fue allí donde le llegó la idea de que los niños podían tener capas como las que él tenía ¡Unas placas compactas alrededor del cuerpo para el frío! Pero..., ¿cómo obtenerlas?

Tlish pensó en que esas placas podrían ser unas pencas[6] de maguey, sólo que eran muy pesadas. Tlash propuso unas hojas de guayule,[7] pero resbalaban y no podían unirse.

Al venado cola blanca se le ocurrió también que los niños podrían cubrirse con petates[8] de palma, pero la palma estaba lejos, en las tierras del mar.

5. maguey: planta de hojas gruesas y espinosas de más de un metro de largo, con flores amarillas

6. pencas: hojas del maguey

7. guayule: árbol que produce el caucho gomero

8. petates: esteras de palma; en los países cálidos, se usan para dormir

Palabras básicas

encanece: llena de canas (pelo blanco)

despensa: lugar donde se guarda la comida o provisiones

placas: láminas

La ardilla nada opinó: tenía frío y permaneció oculta.

Otra vez el armadillo sabio pidió ayuda a la niebla y la niebla le cubrió la cabeza. Allí imaginó que un árbol amarillo donaba la madera de su interior; y sin saber cómo, de pronto, se encontró frente a algunos amates.[9] Y un amate dorado desenrollando su corteza le entregaba su tronco.

Tlish y Tlash, el venado y la ardilla rojiza venían silenciosos tras el armadillo. Así que entre todos fueron jalando el tronco dorado hasta obtener una tela delgada y resistente como el papel.

Fue así como de esa tela delgada, de ese papel de amate, confeccionaron unas capas que las agujas del aire y del viento ya no podían traspasar.

Pero pasó largo tiempo, y los niños no volvían. El venado cola blanca tuvo que buscarlos entonces más allá de los bosques, en la tierra caliente.

Y regresaron los niños a la Frontera de los Bosques, al País de la Bruma, donde el viento se manifiesta con agujas delgadas.

Para cubrirse, los animales les dieron las capas de papel, de modo que no tuvieran nunca que partir por causa del frío.

Y aquellos niños con mirar de pájaro Ojos de Lumbre, cuya voz era un canto de zenzontle, volvieron a alegrarlos con aquel revoloteo de huitzitziles chupamirtos.

Y el cola blanca les traía pieles nuevas para con ellas protegerse los pies, y las viejas musarañas les daban lianas[10] de bejucos[11] para atarse los cabellos, y la ardilla rojiza los guiaba a un tronco viejo para guardar en él las provisiones...

Y hasta después de todo esto, el armadillo sabio que vivía en el Venacho les enseñó a vestirse...

Ya en la temporada de las codornices,[12] éstas se sorprendieron tanto de ellos que decían, gritaban, comentaban:

—Tienen aspecto lindo los amaquemes[13]...

—Visten mantos bordados...

—Bailan con capas de papel...

Y así, un día, aquéllos que fueron niños crearon una ceremonia de gratitud para sus bienhechores y el sol que a todos da la vida. Y usaron sus capas de papel para danzar bajo la niebla.

Y desde entonces, cada año, cuando las agujitas del viento se transforman en púas de maguey, vuelven al bosque con sus capas, y bailan en la niebla para decirle al viento que ya no le temen.

---

9. amates: árboles mexicanos parecidos a la higuera

10. lianas: enredadera

11. bejucos: plantas tropicales que se extienden por el suelo o se enredan en otras plantas

12. codornices: gallináceas parecidas a las perdices

13. amaquemes: hechos de la corteza del amate

Palabras básicas

jalando: halando, tirando de algo
revoloteo: acto de volar dando vueltas
bienhechores: gente que hace cosas buenas

Isabel Suárez de la Prida escribe cuentos para niños. La relación entre la gente y la naturaleza es un elemento importante de su obra. También existe una dimensión mágica, como en el cuento que han leído.

Responde

Los niños y los animales de esta historia tenían una relación muy especial. ¿Tienes tú una relación especial con algún animal o parte de la naturaleza? Explica.

El muchacho y el abuelito

Rudolfo A. Anaya

Éste era un hombre que no tenía más familia que su esposa y un hijito de cinco años. El hombre también tenía a su cargo a su padre anciano que vivía con ellos en la casa. Pero como la nuera no quería a su suegro, mandó apartar al anciano, retirándolo de la casa donde vivían ellos a un cuartito solitario. Allá le mandaban de comer algunos días y otros días no. En tiempos fríos no cuidaban de él y el pobre viejito sufría mucho. Un día se arrimó su nietecito a donde él estaba y le dijo el anciano:

—Hijito, búscame una garra[1] por ahí para cobijarme. Hace frío y me estoy helando.

El muchachito fue corriendo a la despensa a buscar una garra y halló un pedazo de jerga.[2] Le llevó el pedazo de jerga a su padre y le dijo:

—Córteme esta jerga por la mitad.

—¿Para qué? ¿Qué vas a hacer con ese pedazo?

1. **garra:** en algunas partes de América significa *harapo*
2. **jerga:** tela de lana gruesa y tosca

Palabras básicas

cobijarme: abrigarme, protegerme del frío

—Voy a llevárselo a mi abuelito, porque tiene frío.

—Pues llévasela entera.

—No —le dijo, —no la llevo toda. Quiero que me la corte por la mitad porque quiero guardar el otro pedazo para cuando usted esté como mi abuelito. Entonces se la llevaré a usted para que se cobije.

Aquella respuesta del muchachito fue suficiente para que el hombre reconociera la ingratitud que estaba demostrando hacia su padre. El hombre trajo a su padre anciano a su casa e hizo que le prepararan un cuarto abrigado y le dieran todo lo que necesitaba. Desde ese momento él mismo cuidaba a su padre en la tarde y en la mañana.

Celestino Harley Brown *Courtesy of the artist*

Responde

Si pudieras hablar con un personaje de esta historia, ¿con cuál sería? ¿Que le dirías?

Rudolfo A. Anaya nació en Pastur, un pueblo al sur de Santa Rosa en Nuevo México, en el año 1937. En la Universidad de Nuevo México estudió literatura inglesa. Ha escrito cuentos, ensayos y novelas, de las cuales la más famosa es *Bless Me, Última*. Escribe sobre la cultura méxicoamericana y sobre sus experiencias de niño. Anaya dice que su obra trata el "instinto", y que "el cuentista cuenta historias tanto para la comunidad como para sí mismo. El cuento va a la gente…pero el proceso del cuento también ejerce la misma magia en el cuentista".

Historia de cómo se sostiene una pared

Simon J. Ortiz
traducido por Marina Harss

Simon Ortiz nació en 1941. Es poeta, pero también ha producido una documental para la televisión titulada "Sobreviviendo a Colón". El es de descendencia indígena y se crió en Acomer Pueblo en Nuevo México. Ahora enseña en la Universidad de Nuevo México.

Mi padre, que trabaja la piedra
dice "Ésa es la parte que se ve,
las piedras que parecen estar
simplemente encajadas de afuera",
5 y con las manos pone las piedras y el barro
en su lugar. "Debajo de lo que parece piedra floja
hay piedras entretejidas."
Entrelaza las manos,
acomodando los huesos de las manos
10 y de los dedos. "Eso es lo que la sostiene."
"Está construida con tanto cuidado",
dice, "el barro mezclado
a una cierta textura", trabajado
pacientemente "con los dedos", trabajado
15 en la palma de la mano. "Así,
puesto entre las piedras, se sostiene
por mucho, mucho tiempo."
Me dice estas cosas,
la historia trabajada
20 entre sus dedos, en la palma
de la mano, trabajando las piedras
y el barro hasta que se convierten
en una pared que se sostiene por mucho, mucho tiempo.

Palabras básicas

encajadas: ubicadas de modo que se ajusten una a otra
entretejidas: enlazadas

Responde

¿A qué persona o personaje te recuerda el padre? ¿Por qué?

Actividades
Descubre el sentido

Analiza la lectura

Recuerda

1. En *Capas de papel*, ¿por qué los animales quieren que los niños se queden en el bosque?
2. En *El muchacho y el abuelito*, ¿por qué vive el abuelo en un cuarto aparte?
3. En *Historia de cómo se sostiene una pared*, ¿qué le enseña el padre al hijo?

Interpreta

4. ¿Qué te imaginas que habrán sentido los niños al saber lo que hicieron los animales por ellos en *Capas de papel*?
5. ¿Qué elementos hacen que *Capas de papel* sea un cuento fantástico?
6. ¿Cómo describirías al abuelo en *El muchacho y el abuelito*? ¿Qué detalles te llevan a esta conclusión?
7. Refiriéndote a detalles en el cuento, compara el carácter del muchacho con el de su padre.
8. ¿Qué intenta enseñar el padre a su hijo en *Historia de cómo se sostiene una pared?*

Avanza más

9. ¿Qué nos enseñan estos cuentos sobre la importancia de ayudar a los demás?

Para leer mejor

Cómo resolver los problemas en los cuentos

Consulta el diagrama que hiciste antes de leer las selecciones. Podemos aprender lecciones importantes al considerar sus **problemas y resoluciones**. Muchas veces, los **problemas** de los personajes de los cuentos se pueden resolver con actos generosos.

Identificar en un cuento o poema el problema principal y su resolución, puede ayudarte a enfrentar situaciones reales. Consulta tu diagrama y contesta las siguientes preguntas:

1. Identifica un problema con el que un personaje o un grupo de personajes se enfrenta en cada selección.
2. ¿Quién presenta el problema en cada selección?
3. ¿Cómo se resuelven estos problemas en estos cuentos?
4. Estas soluciones, ¿son útiles en tu propia vida?

Ideas para escribir

¿Cómo puedes aplicar las lecciones aprendidas en tus lecturas?

Poema Escribe un poema sobre el trabajo y la atención que se requiere para que algo esté bien hecho y perdure. Por ejemplo, ¿cómo se construye una avioneta de papel para que funcione bien y no se rompa?

Cuento tradicional En *Capas de papel*, la interacción entre animales y personas nos enseña a tratar a todos respetuosamente. Escribe tu propio cuento tradicional con este mismo mensaje, o transcribe un cuento que ya conoces.

Ideas para proyectos

Un mundo de responsabilidades ¿Qué responsabilidades tienen las personas de tu edad hacia sus familias? Crea un cartel usando dibujos, diagramas o fotos que ilustren la contribución de los jóvenes a sus familias en los Estados Unidos o en otras culturas que conoces.

Tarjeta de agradecimiento Diseña una tarjeta agradeciendo a alguien un favor especial que haya hecho por ti. Expresa tus sentimientos con un poema o un párrafo breve. En la parte exterior, dibuja algo que represente el cariño—por ejemplo, dos personas abrazándose o una cara sonriente.

¿Estoy progresando?

Toma un minuto y contesta estas preguntas:

¿Que selección me ha ayudado más a aprender algo sobre mí mismo(a)?

¿Qué detalles de las selecciones me ayudaron a entenderlas mejor?

Actividades

Presentación

La sombrera de María Elena Walsh
Amigos todos nosotros de Pablo Neruda

¿Cómo encontramos amigos en lugares inesperados?

Aplica lo que sabes

¿Alguna vez has tenido como amigo a un árbol? Sabemos que los árboles nos dan sombra, aire y que muchos nos dan también frutas o nueces comestibles. Algunos tienen lindas flores y ramas para decorar nuestras casas. ¿Cómo enriquecen los árboles nuestras vidas y son nuestros amigos?
En grupo hagan una o ambas de las siguientes actividades relacionadas con la importancia de los árboles en nuestras vidas.

- Hablen de las interacciones entre la gente y los árboles. Hagan una lista de las distintas maneras en que utilizamos y disfrutamos de los regalos que nos brindan los árboles.
- Imagina que ves a un extraño en apuros en una calle llena de gente. ¿Por qué necesita tu ayuda? Representa una escena en la que alguien se comporta amistosamenta con extraños.

Lee activamente

Cómo se reconocen los diferentes niveles de significado

Cuando los escritores escriben cuentos, normalmente quieren entretener al lector con una historia interesante. Frecuentemente están también transmitiendo un significado más profundo, o un mensaje.

Mientras lees los cuentos que siguen, disfrútalos, pero también reflexiona sobre cuál es el significado profundo o mensaje. Completa el siguiente diagrama:

Título	De qué trata el cuento	Mensaje
La sombrera		
Amigos todos nosotros		

La Sombrera

María Elena Walsh

Había una vez un árbol tan bueno, pero tan bueno, que además de sombra, daba sombreros.

Este árbol se llamaba Sombrera y crecía en una esquina del bosque Gulubú.

Las gentes que vivían cerca acudían al árbol pacíficamente todas las primaveras, cortaban los sombreros con suavidad y los elegían sin pelearse: esta gorra para ti, este bonete para mamá, esta galera[1] para el de más allá, este birrete[2] para mí.

Pero un día, llegó al bosque un comerciante muy rico y sinvergüenza llamado Platini.

Atropelló a todos los vecinos, gritando:

—¡Basta, todos estos sombreros son para mí, me llevo el árbol a mi palacio!

Todo el mundo vio con gran tristeza cómo el horrible señor Platini mandaba a sus sirvientes a que desenterraran el árbol.

Los sirvientes lo desenterraron y lo acostaron sobre un lujoso automóvil de oro con perlitas.

Una vez en el palacio, el señor Platini mandó plantar la Sombrera en su jardín.

El árbol crecía raquítico[3] y de mala gana, cosa que enfurecía al horrible señor Platini.

El señor esperaba que floreciera para poner una sombrerería y vender los sombreros carísimos y con ese dinero comprarse tres vacas y luego venderlas, y con el dinero comprarse un coche y venderlo, y con el dinero comprarse medio

1. **galera:** sombrero de copa
2. **birrete:** cono con borla negra
3. **raquítico:** flacucho y enfermizo

Palabras básicas

acudían: venían, se presentaban
bonete: gorro chato de los sacerdotes y colegiales
sinvergüenza: persona que no siente vergüenza; descarado
atropelló: empujó, embistió
desenterraran: sacaran las raíces del suelo

palacio más y luego venderlo, y con el dinero comprarse un montón de dinero y guardarlo.

Por fin llegó la primavera; y el árbol floreció de mala gana unos cuantos sombreritos descoloridos.

El señor quiso mandarlo cortar inmediatamente, pero el Viento que se había enterado de toda la historia, se puso furioso.

Y el Viento dijo:

—Yo siempre he sido amigo de los vecinos de Gulubú, no voy a permitir que les roben sus sombreros así nomás.

Y se puso a soplar como un condenado,[4] arrancando todos los sombreros del árbol.

El señor Platini y todos sus sirvientes salieron corriendo detrás de sus sombreros, pero nunca los pudieron alcanzar.

Corrieron y corrieron y corrieron hasta llegar muy lejos, muy lejos del bosque de Gulubú y perderse en el desierto de Guilibí.

Entonces los vecinos aprovecharon y se metieron en el jardín del señor Platini y volvieron a trasplantar a su querido árbol al bosque de Gulubú.

El Viento estaba muerto de risa, y el árbol recobró pronto la salud.

Cuando volvió a florecer, los vecinos volvieron a cosechar sus sombreros, sin pelearse.

Y el señor Platini se quedó solo y aburrido en el desierto, sin sombrerería, sin tres vacas, sin coche, sin medio palacio, y lo que daba más pena, sin su montón de dinero.

Ah, y sin sombrero.

Y de esta manera, se acaba el cuento de la Sombrera.

---

4. como un condenado: expresión que significa hacer algo de una forma excesiva o extrema

¿Qué le aconsejarías al señor Platini?

María Elena Walsh nació en Argentina en 1930. Es una famosísima y muy amada escritora de cuentos y poemas infantiles. También ha escrito y grabado varios discos de canciones para niños. Muchos niños argentinos saben la letra de sus canciones de memoria. Uno de sus versos más conocidos se llama *El reino del revés*.

Amigos todos nosotros

Pablo Neruda

Recuerdo también que una vez, buscando los pequeños objetos y los minúsculos seres de mi mundo en el fondo de mi casa, encontré un agujero en una tabla del cercado.[1] Miré a través del hueco y vi un terreno igual al de mi casa, baldío y silvestre. Me retiré unos pasos porque vagamente supe que iba a pasar algo. De pronto apareció una mano. Era la mano pequeñita de un niño de mi edad. Cuando me acerqué ya no estaba la mano y en su lugar había una diminuta oveja blanca.

Era una oveja de lana desteñida. Las ruedas con que se deslizaba se habían escapado. Nunca había visto yo una oveja tan linda. Fui a mi casa y volví con un regalo que dejé en el mismo sitio: una piña de pino, entreabierta, olorosa y balsámica[2] que yo adoraba.

Nunca más vi la mano del niño. Nunca más he vuelto a ver una ovejita como aquélla. La perdí en un incendio. Y aún ahora, en estos años, cuando paso por una juguetería, miro furtivamente[3] las vitrinas. Pero es inútil. Nunca más se hizo una oveja como aquélla.

Palabras básicas

baldío: terreno sin cultivar, vacío
diminuta: pequeñísima
deslizaba: resbalaba

1. **cercado:** cerca, valla
2. **balsámica:** que contiene líquido aromático
3. **furtivamente:** secretamente

Responde

¿Qué habrías intercambiado tú por la oveja? Descríbelo.

Pablo Neruda es uno de los poetas más conocidos de nuestro siglo. Su poesía trata temas populares y nace de un gran amor por la humanidad. Este ensayo pertenece a su libro de memorias titulado *Confieso que he vivido* en el que cuenta sobre su infancia en el campo y las montañas de Chile, como también de sus viajes y su trabajo como escritor y político durante su vida.

Analiza la lectura

Recuerda

1. En *La sombrera*, ¿qué le sucede al árbol después de que se lo lleva el Señor Platini?
2. ¿Cuáles son los regalos, que intercambian el protagonista y su vecino en *Amigos todos nosotros?*

Interpreta

3. ¿Por qué crees que la sombrera daba pocos sombreros después de que el Señor Platini se la robara?
4. ¿Por qué crees que el narrador le da algo que aprecia muchísimo a un extraño en *Amigos todos nosotros?*
5. ¿Qué descubre Pablo Neruda al recibir el regalo por el agujero en el cerco del jardín?

Avanza más

6. ¿Por qué la gente a menudo quiere lo que no les pertenece? Da un ejemplo.
7 ¿Qué regalo le harías a un extraño?

Para leer mejor

Cómo reconocer los niveles de significado

Un modo de ver los **diferentes niveles** de **significado** de un cuento es en un esquema gráfico como el que presentamos abajo. Cópialo en tu cuaderno. Vuelve a mirar el diagrama que hisciste antes para escribir en los círculos tus ideas sobre *Amigos todos nosotros*.

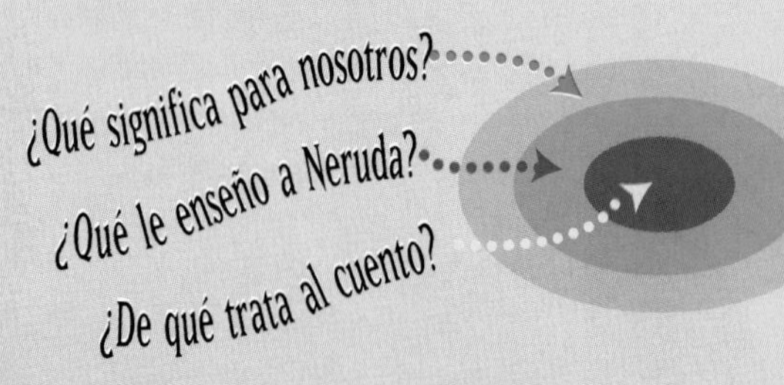

Ideas para escribir

Un regalo simple de un extraño le inspiró a Neruda a compatir su don de la escritura con el mundo entero.

Descripción Describe brevemente uno de los sombreros producidos por la sombrera. ¡No lo nombres directamente! En cambio, descríbelo lo mejor que puedas. Después, lee tu descripción a la clase, y pídeles a tus compañeros que identifiquen qué tipo de sombrero es.

Poema Regalo ¿Qué regalo o don compartírias con el mundo entero? Escribe un poema sobre ello. Concéntrate en las descripciones e imágenes que definen el regalo y por qué quieres compartirlo.

Ideas para proyectos

Árbol alegórico Crea tu propio árbol dibujándolo o haciendo una escultura. Ponle objetos especiales que serán lo que el árbol dárá o compatirá con los demás. Muestra tu árbol a la clase y comenta con tus compañeros(as) el significado de las imágenes que le has colocado.

Entrevista Piensa en alguien de tu escuela o comunidad que les regala a otros su tiempo y talento. Prepara algunas preguntas y hazle una entevista. Toma notas o graba sus repuestas en video o una grabadora. Comparte la entrevista con tus compañeros(as).

Dibujo Dibuja un regalo mágico que te gustaría recibir por un hueco en el cerco del jardín. ¿Qué significa para ti ese regalo?

¿Estoy progresando?

Responde a estas preguntas en tu diario.

¿Qué he aprendido sobre los niveles de significado al leer estas selecciones?

¿Cómo me ayudará lo que he aprendido a leer otras obras del mismo tipo?

Presentación

Homenaje a los padres chicanos de Abelardo Delgado
Una hermosa amistad de Nicholasa Mohr

¿Qué te hace sentir que formas parte de un grupo?

Aplica lo que sabes

Cuando saludas al director de la escuela, probablemente usas un tono y palabras diferentes a las que usas cuando saludas a tus compañeros de clase. Probablemente tampoco hablas con tu padre de la misma manera en que hablas con un amigo íntimo.

Haz una o ambas de las siguientes actividades. Estas actividades te ayudarán a pensar en las diferentes formas de tratar con la gente.

- Prepara una lista de las expresiones que usas con amigos de tu misma edad. Después, en grupo, conversa de cómo dirían lo mismo a una persona desconocida o a una persona mayor. Hagan un pequeño diálogo entre dos personas. Basándose en el tono y las palabras que se usen, sus compañeros(as) deben adivinar la relación entre las mismas.
- Con un compañero(a) o en un grupo pequeño, habla de la relación que existe entre la manera de hablar y el pertenecer a un grupo en particular. ¿Qué otras cosas contribuyen a hacerte sentir que formas parte de un grupo?

Lee activamente

Las inferencias sobre los personajes

Los distintos usos del lenguaje de un autor te ayudan a hacer **inferencias** o suposiciones lógicas sobre los personajes de un cuento o de un poema. También puedes hacer **inferencias** basadas en el comportamiento de los personajes, en la forma en que se tratan los unos a los otros, y en las ideas que expresan.

Mientras vas leyendo, busca los detalles que te ayudan a inferir algo sobre los personajes. Fíjate en cómo hablan, actúan y expresan sus ideas; haz una lista y piensa en lo que te indican esos detalles.

Título	Nombre del personaje central	Detalles	¿Cómo crees que es este personaje?
Homenaje a los padres chicanos			
Una hermosa amistad			

Homenaje a los padres chicanos

Abelardo Delgado

Con el semblante[1] callado
con el consejo bien templado
demandando siempre respeto,
con la mano ampollada y el orgullo repleto,
5 así eres tú y nosotros te hablamos este día,
padre, papá, apá, jefito, dad, daddy
...father,
como acostumbremos llamarte, eres el mismo.
La cultura nuestra dicta
que el cariño que te tenemos
10 lo demostremos poco
y unos hasta creemos
que father's day
es cosa de los gringos
pero no...
15 tu sacrificio es muy sagrado
para dejarlo pasar hoy en callado.
Tu sudor es agua bendita
y tu palabra sabia,
derecha como esos surcos[2]
20 que con fe unos labran día tras día,

---

1. **semblante:** rostro, expresión
2. **surcos:** hendiduras que hace el arado en la tierra

Palabras básicas

templado: moderado
veneramos: adoramos, respetamos

nos sirve de alimento espiritual
y tu sufrir por tierras
y costumbres tan extrañas,
tu aguante, tu amparo, tu apoyo
25 todo eso lo reconocemos y lo agradecemos
y te llamamos hoy con fuerza
para que oigas
aun si ya estás muerto,
aun si la carga fue mucha
30 o la tentación bastante
y nos abandonaste
aun si estás en una cárcel
o en un hospital...
óyeme, padre chicano,
35 oye también a mis hermanos,
hoy y siempre, papá, te veneramos.

Responde

¿Te hace pensar este poema en alguien a quien respetas y veneras? Explica.

Abelardo Delgado fue uno de los primeros poetas chicanos reconocidos en este país. Nació en 1931 en Chihuahua, México. A los doce años emigró a El Paso, Texas. En la secundaria, siendo co-redactor del periódico de la escuela, recibió un premio de periodismo. Más tarde, decidió ser escritor para expresar sus ideas de lucha contra la pobreza y en favor de la dignidad humana.

Una hermosa amistad

Nicholasa Mohr

"¡Felita! ¡Mira, Felita, espera... espera un momento!" Escuché mi nombre y alguien me decía en español que esperara. Me di la vuelta y vi a Vinny Dávila que corría hacia mí agitando la mano: —Hola, ¿vas para tu casa?— me preguntó en español. Asentí con la cabeza. ¿Puedo acompañarte?

—Bueno— respondí con indiferencia. No esperaba encontrarme con Vinny. Me sentía extraña caminando con Vinny, porque apenas lo conocía y en realidad nunca habíamos conversado. Había dejado de llover y sentí cómo el viento helado atravesaba mi abrigo. Los dos permanecimos callados. Yo esperaba que él dijera algo, pero caminaba a mi lado en silencio. Finalmente decidí romper el hielo preguntándole en español: —¿Te gusta vivir en este país?

—Sí, me gusta— dijo sonriendo—. Aprendo y veo cosas nuevas todos los días. Continuamos hablando en español.

—¡Qué bien! ¿Te gusta la escuela en este país?"

—Sí, excepto mi inglés, que es bastante malo. Quiero aprender a hablarlo bien, como los demás chicos.

—Debe ser difícil llegar a un nuevo país y tener que aprender a hablar un nuevo idioma. Mi abuela vivió aquí cerca de cuarenta años y nunca aprendió a hablar bien inglés.

—¡Bueno, espero tener más éxito que tu

Palabras básicas

asentí: acepté, confirmé

abuela! Los dos nos pusimos a reír—. ¿Cómo se las arregla[1] sin hablar inglés?

—Mi abuela murió hace más de dos años. Era muy inteligente y siempre ayudaba a las demás personas a resolver sus problemas. Mi abuela era la persona más maravillosa que he conocido en mi vida. Siempre hablábamos en español, igual que nosotros ahora. Abuelita hasta me leía cuentos en español".

—Tú hablas español muy bien, Felita.

—No tan bien como antes. Sé que cometo errores, pero me gusta hablarlo.

—Tú eres puertorriqueña, ¿verdad?

—Sí, pero nacida aquí. Mis padres nacieron en la isla. Supongo que te diste cuenta por mi acento. Mi acento en español era diferente al suyo. Vinny hablaba despacio y pronunciaba sus palabras con mucho cuidado, mientras que nosotros los puertorriqueños hablamos mucho más rápido.

—En la escuela la mayoría de los niños son puertorriqueños, pero no hablan español tan bien como tú. ¿Alguna vez viviste en Puerto Rico, Felita?

—No, nunca he estado allí. Pero es curioso que me lo preguntes, porque sabes qué, voy a pasar allí todo el verano. Será mi primera visita. ¡Estoy muy emocionada!"

—¡Qué suerte! Ojalá yo pudiera hablar inglés como tú hablas español. Sabes Felita, realmente quiero aprender. Y, para serte sincero, por eso me acerqué a ti, para ver si me podías ayudar. ¿Me puedes ayudar, Felita, a aprender inglés?

"¿Qué?" No podía creer lo que escuchaba.

—Mira— continuó él—, voy a decirte la verdad. Te he estado observando y veo cómo trabajas. Eres una buena estudiante. Siempre estás en la biblioteca estudiando. Y dibujas maravillosamente. Tus dibujos en la exhibición son fantásticos. Quise pedirle a algún otro estudiante, pero no sabía a quién. Luego te vi, te observé y pensé: "¡ella es la persona que busco! Felita es muy inteligente y habla español; hablaré con ella".

Vinny se detuvo y me miró con una expresión dolorida. —Algunos estudiantes se burlan de mí. Quiero aprender a hablar correctamente. No quiero seguir hablando inglés como lo hablo ahora. ¿Me ayudarás, Felita?

—¿Yo...pero cómo? No sé qué puedo hacer para ayudar.

—Enséñame a hablar inglés como lo hablas tú y los demás chicos.

—¿Sabes Vinny?, en la escuela hay clases especiales para que los extranjeros aprendan inglés. Yo lo sé porque los amigos de mis padres de Puerto Rico fueron allí. Déjame que averigüe. Tal vez te den clases especiales porque eres un chico. Mañana le preguntaré al Sr. Richards....

—¡No! —me interrumpió él—. No quiero usar libros para aprender gramática o inglés. Lo que quiero es hablar como los demás chicos. No quiero libros, simplemente quiero poder conversar normalmente. ¿Me ayudarás, por favor?

—Aún no sé qué puedo hacer. —Me sentía bastante confusa.

—Es muy simple. Nos podemos reunir después de la escuela, no todos los días,

1. **¿Cómo se las arregla?:** ¿Cómo se maneja?

pero tal vez dos veces por semana. Podemos hablar de cualquier cosa. Así podré empezar a hablar cómo los demás.

—Realmente no sé. —Vinny dejó de caminar y se quedó parado delante de mí, sus ojos de color verde pálido me miraban con tristeza.

—¡Por favor! Mira Felita, tú vas a Puerto Rico este verano y necesitas perfeccionar tu español, ¿verdad? ¿Qué pasa si yo te ayudo con tu español? ¿No te gustaría hablarlo mejor y aprender a escribir y leer en español? De esta manera nos beneficiamos los dos.

Escuché su propuesta y sentí cómo el entusiasmo se apoderaba de mí. De todos los niños de la escuela, yo era la elegida para enseñarle inglés a Vinny Dávila, de quien todas mis amigas están enamoradas y se comportaban tontamente a su lado. Cuanto más lo pensaba, más increíble me parecía. Luego me acordé de mis padres, especialmente mami. ¿Cómo la convencería para que me dejara dar lecciones a un chico? Y lo que es peor, alguien que ella no conocía.

—¿No crees que es una buena idea, Felita?

—Seguro que sí. En realidad, echo de menos no poder hablar con mi otra abuela en español, y voy a ir a Puerto Rico, así que cuanto mejor lo hable, mejor.

—Entonces, ¿hacemos un pacto? —No sabía qué responderle. Mi mami era un problema, pero no quería pasar por alto

Palabras básicas

beneficiamos: aprovechamos, ayudamos
pasar por alto: perder, dejar pasar

esta oportunidad de darle lecciones a Vinny Dávila.

—Déjame hablar con mi madre y a ver qué pasa. —No podía creer lo que acababa de decir.

—¡Fantástico! ¡Muchas gracias! —Vinny estaba tan contento que daba vueltas y palmeaba las manos.

—Eh, espera un minuto, Vinny. No puedo hacer ninguna promesa. Todavía tengo que resolver algunas cosas y esperar que me den permiso.

—Está bien, ¿pero me avisarás pronto?

—Te avisaré tan pronto como lo sepa. Podemos hablar en la escuela durante el recreo o puedes venir a la biblioteca cuando esté allí, ¿de acuerdo?

—¡Qué bueno! Muchas gracias. —Hizo una pausa y me miró con cierta timidez: —Hay algo más. No quiero que los demás niños en la escuela se enteren de nuestras lecciones... por lo menos no al principio. Quiero esperar hasta poder hablar mejor el inglés. ¿Puede ser nuestro secreto?

—Seguro —dije yo. Esto cada vez se ponía mejor. Compartir un secreto con Vinny Dávila me hacía sentirme especial.

—Me voy corriendo o llego tarde. —Subí las escaleras corriendo: —¡Hasta luego! —grité en inglés.

¡Hasta luego! —Le escuché repetir en inglés.

Responde

¿Qué consejo le darías a Vinny?

¿Te gustaría ser amigo(a) de Vinny o de Felita? ¿Por qué?

Nicholasa Mohr es de un sector de la ciudad de Nueva York llamado *El barrio*, en donde mucha gente es bilingüe; es decir, hablan español e inglés. Nicholasa Mohr todavía vive en *El barrio*. El personaje de Felita es la protagonista de su novela *Felita*. Sin embargo, este cuento es de un libro posterior, *Rumbo a casa*, el cual es una continuación de la historia de Felita.

Actividades
Descubre el sentido

Analiza la lectura

Recuerda

1. ¿Qué sentimiento expresa el poeta al final de *Homenaje a los padres chicanos?*
2. En *Una hermosa amistad*, ¿dónde aprende Felita a hablar español?

Interpreta

3. ¿Por qué crees tú que Abelardo Delgado menciona a los padres muertos, encarcelados y hospitalizados?
4. ¿En qué se parecen Felita y Vinny en *Una hermosa amistad,* y en qué se diferencian?

Avanza más

5. Después de haber leído *Homenaje a los padres chicanos*, ¿qué has aprendido sobre el lado positivo de la naturaleza humana?
6. ¿Por qué crees que la gente se burla del acento de Vinny en *Una hermosa amistad?* ¿Qué le dirías a esa gente si pudieras hablarle?

Para leer mejor

Cómo entender la caracterización indirecta

Probablemente has aprendido mucho sobre el personaje de Vinny y el de Felita al leer *Una hermosa amistad*. Sin embargo, la escritora nos da pocos datos directos sobre ellos. Por ejemplo, Mohr no escribe: "Vinny es guapo y muy popular con las chicas". En cambio, ella da la información necesaria para que lo puedas inferir. Felita dice que a todas sus amigas les gusta Vinny, y que ellas se comportan extrañamente cuando él está cerca. Esto es un ejemplo de la **caracterización indirecta** —un personaje que se revela por lo que dice, piensa o hace, y también por la forma en que los otros personajes lo tratan o cómo se comportan en su presencia.

1. Identifica dos cosas que hayas aprendido sobre Felita y Vinny a través de lo que dicen, piensan o hacen.
2. Describe brevemente a Felita o a Vinny.

Ideas para escribir

El lenguaje informal, se usa sólo en las situaciones apropiadas. Presta atención al lenguaje que usas al escribir.

Carta Imagínate que vas a ayudar a Vinny. Escríbele dos cartas breves, invitándolo al cine a ver una película nueva. En una de ellas usa lenguaje formal, y en la otra, lenguaje informal.

Poema Conversa con un grupo de amigos sobre tus sentimientos hacia una persona a quien verdaderamente respetas. Puede ser un miembro de tu familia, un(a) amigo(a), un(a) profesor(a) o un líder de la comunidad. ¿Cómo expresarías tus sentimentos hacia esa persona? Comparen luego sus ideas y escriban cada uno un poema sobre esa persona. Si quieren, pueden leer sus poemas en voz alta para la clase.

Ideas para proyectos

Compañeros de estudio Diseña un esquema para la clase con los nombres de posibles compañeros(as) de estudio. Entrevista a tus compañeros(as) para averiguar quiénes pueden ayudar a otros estudiantes en cada materia. Deja el esquema en un lugar accesible para que todos los que lo necesiten puedan usarlo para encontrar fácilmente a su compañero(a) de estudio.

Equipo de la semana Observa cómo la gente de tu escuela trabaja en grupo. Dibuja un cartel anunciando el "Equipo de la semana"para celebrar estos esfuerzos cooperativos. Busquen formas de trabajar juntos en la clase.

¿Estoy progresando?

Con un compañero, responde a las siguientes preguntas:

¿Qué detalles en el poema y en el cuento me ayudaron a hacer inferencias sobre los personajes?

Al leer sobre las experiencias de Vinny y Felita, ¿qué aprendiste sobre las diferencias y las similitudes entre las personas?

Caminemos juntos

Los proyectos...............

Las selecciones que has leído tratan la importancia de ofrecer la mano en gesto de amistad, las ideas que unen a la gente y las cualidades que todos compartimos. Puedes explorar estas ideas haciendo uno o más de los siguientes proyectos.

Presentación multimedia Haz una investigación sobre las costumbres y relaciones de diversos grupos étnicos. Muestra cómo éstas se reflejan en la literatura, arte, música, cine y medios de comunicación en sus culturas. Presenta tus investigaciones a la clase, utilizando varios medios comunicativos.

Actuación En las selecciones que has leído, aprendiste que la convivencia entre los seres humanos requiere esfuerzo, comprensión y sensibilidad para entender a los demás. Escoge uno de los conflictos presentados en estas selecciones y escribe un diálogo con tu propia manera de resolverlo. Preséntalo en una dramatización ante la clase.

Cartel de relaciones positivas Diseña un cartel que ilustre aspectos de tu comunidad y tu escuela. Usa fotos, arte, poemas, recortes e ilustraciones de revistas y periódicos que demuestren la importancia de las relaciones positivas.

La bella mariposa
por Ziraldo Zélio
traducido del portugués por Rosa S. Corgatelli

Se hace una reunión general de los personajes de los cuentos de hadas porque hay una mariposa maravillosamente linda "a lo mejor la más linda del mundo" que ha sido capturada y que no puede volar. Colaboran para encontrar la manera de liberar a la mariposa.

Noche de luna con gatos
por Fernando G. Tejada

En esta pieza de teatro fantástica en dos actos, seres humanos, animales y planetas se ayudan los unos a los otros en una noche de conflictos.

La herencia del Nada
por Adela Turin y Nella Bosnia
(traducción de la versión en italiano "Asolina ei regali della fata")

Asolina y su hada madrina aúnan esfuerzos para ayudar a una tendera a recobrar un tesoro perdido.

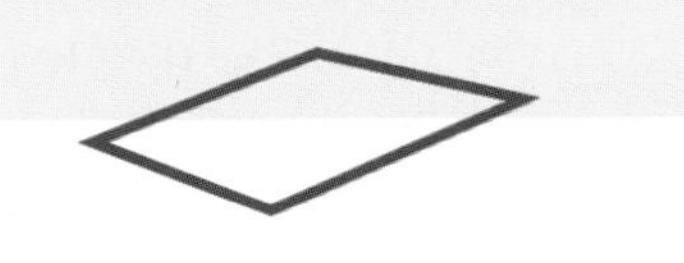

Depende de ti

Traffic Signs Beau Daniels *Courtesy of the artist*

¡Entérate!

¿Qué crees que te toca hacer en el presente y en el futuro? Para ayudarte a contestar esta pregunta, consulta el cuadro. Pregúntate lo siguiente: ¿Qué es importante para mí? ¿A quién puedo pedir consejos? ¿Cuál es mi papel en la vida? ¿Cómo depende de mí mi futuro?

Actividades

En grupo Habla de la frase "Depende de ti". Escribe una lista de las cosas que tú sientes que son importantes para ti en la vida. El grupo debe elegir los cinco puntos más importantes de la lista. Señálenlos con una estrella. Escribe en tu diario por qué cada una de esas cosas es importante para ti.

Actividades

Por tu cuenta Escribe tus respuestas a las preguntas que te has formulado. A medida que avanzas en la lectura, consulta las explicaciones para ver cómo van cambiando tus respuestas. Anota los cambios.

Menú de proyectos

Piensa en los siguientes proyectos y escoge el que más te interese. Encontrarás más información en la página 90.

- **Campaña en pro del ambiente**
- **Espectáculo de variedades**
- **Día internacional**

Actividades

Presentación

Caracola de Federico García Lorca
El muro de Ángel Esteban
Yo no tengo soledad de Gabriela Mistrál

¿Qué significa "tratar de alcanzar las estrellas"?

Aplica lo que sabes

Piensa en tus sueños y metas. Quizás sueñes con sacar notas muy altas, o hacer amistad con una persona que admiras, o ganar un partido, o tocar la guitarra o ser médico. Al realizar una de estas actividades con un compañero reflexiona sobre lo que pienses, comenta qué sientes cuando uno de tus sueños se convierte en realidad.

- Habla de tus metas. Escucha cuidadosamente los planes de tu compañero. ¿Qué pueden aprender el uno del otro?
- Actúa una situación en la que demuestres cuánto anhelas algo.

Lee activamente

Cómo participar en la literatura

La literatura es más atractiva e interesante cuando participas en la lectura identificándote con un personaje y experimentando sus sentimientos y aventuras. Para participar totalmente, tienes que conocer bien al personaje, a la voz que habla en el poema o al narrador. Presta atención a las descripciones físicas, acciones, pensamientos y palabras de los personajes. A medida que vas leyendo, toma nota de los detalles que te ayudan a participar más en la lectura.

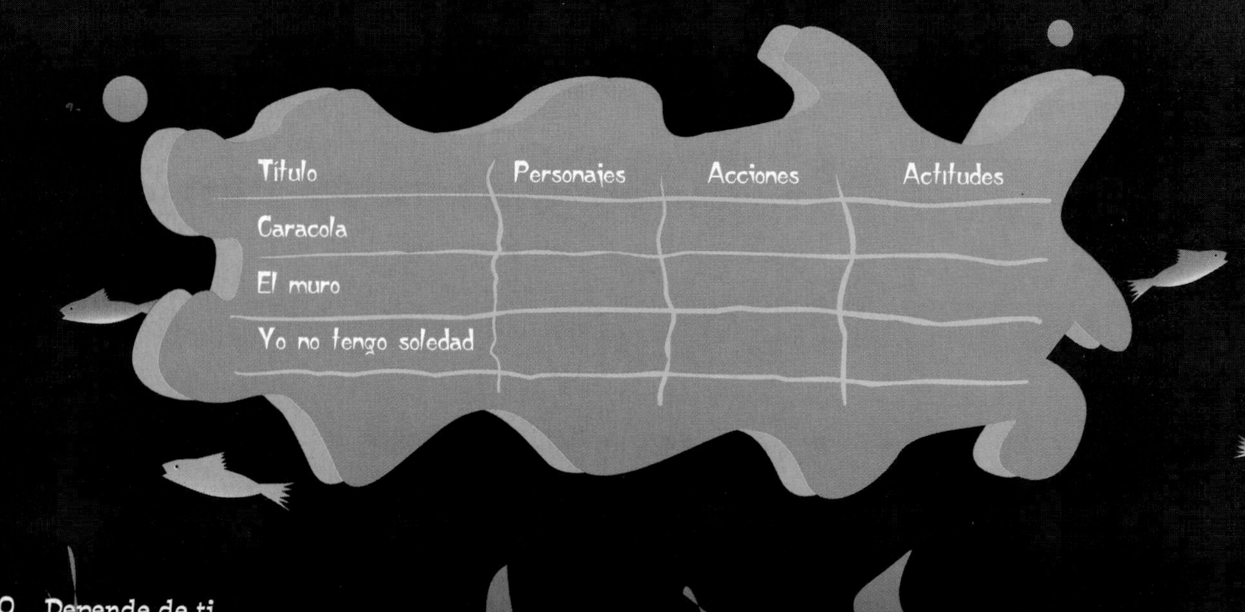

Título	Personajes	Acciones	Actitudes
Caracola			
El muro			
Yo no tengo soledad			

Caracola

Federico García Lorca

Me han traído una caracola.[1]
Dentro le canta
un mar de mapa.
Mi corazón
5 se llena de agua
con pececillos
de sombra y plata.

Me han traído una caracola.

1. **caracola:** caracol marino grande, en forma de cono

Federico García Lorca (1898–1936) fue un querido poeta y dramaturgo español que murió durante la Guerra Civil de España. Gran parte de su producción literaria tiene sus raíces en la cultura andaluza del sur de España. Sin embargo, su poesía tiene valor universal.

Responde

Describe cómo te sentiste cuando alguien te hizo un regalo especial.

EL MURO

Ángel Estebán

Era aquél un lugar agradable. Llovía durante el tiempo necesario para que crecieran las flores y la hierba.

El invierno no era demasiado frío ni largo. El verano, tampoco muy caluroso.

Por un lado se alzaban grandes montañas. Tras ellas, el mar, azul en verano y gris en invierno, siempre inmenso.

Por el otro lado había un muro alto, y tan largo que no tenía final conocido. Estaba allí antes de que existiera la aldea y formaba parte del paisaje.

La primera vez que él vio el muro no se hizo ninguna pregunta; sólo sintió una rara sensación que no supo explicar.

Recorrió varias veces el largo camino que separaba la aldea de la gran pared.

Mucho tiempo después, descubrió que aquella extraña sensación era simplemente el deseo de ver lo que había detrás del muro.

Un día se propuso hacer realidad su sueño.

Primero caminó en dirección Norte buscando el final, pero no lo halló. Más tarde lo intentó en dirección contraria, y tampoco tuvo éxito.

Entonces decidió escalarlo, pero fue inútil.

Él se quedó junto al muro. Pasó allí muchos días sin saber qué hacer. Un día de aquellos tuvo una loca idea, que no tardó en poner en práctica.

Plantó una semilla junto a la pared, con la esperanza de que más tarde surgiera un árbol.

Sus cálculos tenían muchas posibilidades de éxito. Si lo cuidaba bien, crecería lo suficiente para soportar su peso y ver desde las ramas el otro lado del muro.

En la siguiente primavera, la semilla brotó fuerte y vigorosa.

La rama se fue haciendo grande. En la tercera primavera crecieron flores junto a las hojas.

En la sexta, el árbol tenía un tronco tan fuerte y unas raíces tan profundas, que resistió el desbordamiento del río y el viento de un huracán.

Pero mientras el árbol se alzaba hacia el cielo, él envejecía y, lentamente, su vida se acercaba al final.

Cuando ese día fuera a llegar, sería advertido de algún modo. Hasta entonces no treparía por sus ramas hacia lo alto.

Tenía que ser paciente y dejar que las ramas se desarrollaran lo suficiente para resistir su peso. No podía correr riesgos.

Palabras básicas

se propuso: decidió
escalarlo: trepar por él
cálculos: acción y efecto de calcular; resultado de pensar

Orchard Scene 1958 Reuven Rubin Art Resource/New York

Y ese día llegó. Él trepó trabajosamente por el tronco. En ciertos momentos creyó que no lo conseguiría, pero al cabo de varios días alcanzó la rama más alta.

Lo importante era que el muro ya no ocultaba nada a sus ojos; era como si lo hubiera derribado.

Su mirada correteó por el paisaje nuevo. No se sabe qué vio al otro lado; tal vez otro mar, o campos verdes, o quizá sólo tierra estéril.

El trabajo de años, el amor y la paciencia para cuidar el árbol le habían dado el mejor premio: la libertad.

Responde

Piensa en algo que siempre has querido. Luego haz un plan en el que al menos haya tres pasos para conseguirlo.

Ángel Estebán no sólo escribe sus textos, también los ilustra. Actualmente reside en España.

Palabras básicas

derribado: caído, demolido
estéril: se aplica a lo que no da fruto

Yo no tengo soledad

GABRIELA MISTRAL

Es la noche desamparo
de las sierras hasta el mar.
Pero yo, la que te mece,
¡yo no tengo soledad!
5 Es el cielo desamparo,
pues la luna cae al mar.
Pero yo, la que te estrecha,
¡yo no tengo soledad!
Es el mundo desamparo.
10 Toda carne triste va.
Pero yo, la que te oprime,
¡yo no tengo soledad!

Responde

¿Qué persona o situación te ha ayudado a sentir que no estás solo?

Palabras básicas

desamparo: abandono; falta de ayuda o protección
mece: mueve o menea acompasadamente

Gabriela Mistral es el nombre literario de Lucía Godoy Alcayaga. Nació en Chile en 1904. Fue la escritora que ganó por primera vez el "Premio Nobel" de literatura en Latinoamérica. Además de ser una gran poeta, desarrolló una extensa actividad humanista y atendió, en particular, a las necesidades de los niños. También trabajó como educadora y representante diplomática de su país.

Actividades
Descubre el sentido

Analiza la lectura

Recuerda

1. En *Caracola*, ¿qué canta dentro de la caracola?
2. ¿Qué siente el personaje principal de *El muro* cuando ve el muro por primera vez?
3. ¿Quién es la poeta de *Yo no tengo soledad*?

Interpreta

4. ¿En *El muro*, qué significa la imagen del muro? ¿Qué crees que hay del otro lado?
5. En *Caracola*, ¿qué representa la caracola para el poeta?
6. ¿Por qué no se siente sola la poeta de *Yo no tengo soledad*?

Avanza más

7. En cada una de las selecciones que has leído, el poeta o personaje principal ha logrado algo importante para sí. Explica qué han logrado y con quién te indentificas más y por qué.

Para leer mejor

Conclusiones sobre los personajes

Las notas te han ayudado a participar más en estas lecturas y de este modo a llegar a conclusiones sobre el carácter del poeta de cada poema y del personaje principal del cuento. Por ejemplo, tal vez hayas descubierto que la voz poética de *Yo no tengo soledad* es una madre muy amorosa.

Escoge tres sucesos que te ayudaron a participar en la lectura de *El muro* y te mostraron características del personaje principal. Haz una gráfica como la siguiente para indicar lo que has encontrado.

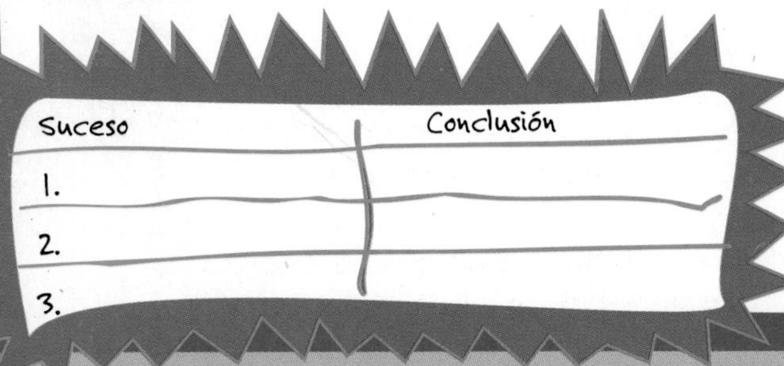

1. Describe otro suceso del cuento que te muestre la paciencia del personaje principal.
2. Después de reflexionar, ¿cómo podrías resumir el carácter del personaje principal?

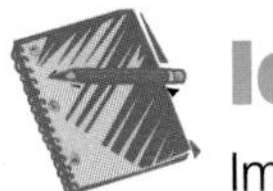

Ideas para escribir

Imagínate que eres consejero.

Análisis Te ha escrito un amigo del personaje principal de *El muro* que quiere saber por qué el personaje principal se empeña tanto en ver lo que hay al otro lado del muro. Contéstale su carta ofreciéndole tus consejos sobre cómo debe tratar al personaje principal.

Carta Un lector escribe quejándose de que los poemas *Caracola* y *Yo no tengo soledad* son demasiado cortos, y quiere que tú les envíes una carta a los poetas advirtiéndoles que no escriban poemas tan cortos. Escríbele una carta al lector explicando por qué no harás tal cosa. Trata de persuadirlo para que participe más en la lectura y para que comprenda que frecuentemente las cosas buenas llegan en paquetes pequeños.

Ideas para proyectos

Monólogo Prepara y presenta un monólogo expresando los pensamientos del personaje principal de *El muro*. Practica tu monólogo varias veces antes de presentarlo. Grábalo para poder así evaluar tu presentación.

Informe oral Prepara un informe oral sobre cómo participar y gozar de la lectura de la poesía. Comparte con tus compañeros, versos de poemas que te gustan, y explícales porqué te gustan. Si lo prefieres, presenta ante la clase poemas que reflejen tu propia cultura.

¿Estoy progresando? Dedica unos momentos a evaluar lo que has aprendido de estas lecturas y actividades.

¿Cómo me ayuda a participar en la lectura de otros cuentos la observación de las acciones de los personajes?

¿Qué he aprendido con estas actividades?

Actividades

Presentación

Ya aprenderás de Joe Hayes
Tú puedes elegir de Joseph D. Younger

¿A quién acudes en busca de consejo?

Aplica lo que sabes

Como la mayoría de la gente, habrás pedido consejos muchas veces en tu vida. Acuérdate de alguna ocasión en la que hayas recibido consejos especialmente buenos. ¿Quién te aconsejó? ¿Puedes pensar en algún otro momento en que un consejo te ayudó a lograr algo muy difícil? En grupo, haz una o ambas de estas actividades:

- Piensa en gente que pueda dar buenos consejos. Pedirías consejos a distintas personas según la duda que tuvieras? ¿por qué?
- Haz una lista de carreras en las que dar consejos sea parte del trabajo. ¿Te interesa alguna de estas carreras? ¿Por qué?

Lee activamente

Cómo formar una opinión sobre los personajes

El personaje principal de *Ya aprenderás* busca consejos útiles para poder lograr algo muy difícil. Como sucede con los cuentos folklóricos, los personajes representan ciertas características humanas, como por ejemplo la fidelidad, los celos o la paciencia. Mientras leas, ve formándote una opinión de los personajes para poder determinar mejor las cualidad que representan. Las descripciones de los personajes, además de lo que ellos dicen y hacen, te ayudará a formar tus opiniones.

Cuando leas los siguientes cuentos, piensa en las características de cada personaje. Escribe tu opinión sobre cada uno en una gráfica como la siguiente:

Personaje	Característica	¿Dónde se encuentra esta información?
Muchacho de *Ya aprenderás*		
James Olmos en *Tú puedes elegir*		

Ya aprenderás

Joe Hayes

Dicen que lo que el muchacho no aprende de su madre cuando es niño habrá de aprender de su hija cuando sea hombre. Hay un viejo cuento de un aldeano de la sierra que tuvo que dejar su casa para buscar trabajo en la población más grande que se hallaba donde la sierra daba al valle. Un hombre rico y poderoso le dio trabajo como sirviente.

Al amo rico le encantaba apostar y hacía las más descabelladas apuestas sin pensarlo nada. A veces ganaba, aunque más veces perdía. Pero como era tan poderoso, casi siempre encontraba alguna manera de librarse de la deuda sin pagar. Así que ya nadie en el pueblo quería apostar con el rico. Pero por estar recién llegado al pueblo, el muchacho no conocía la mala fama de su amo.

Una mañana de invierno el muchacho oyó por casualidad una conversación entre el rico y un amigo suyo. Estaban los dos sentados en una sala cómoda, al calor de la lumbre que el muchacho les había encendido en el fogón, mirando a lo lejos una montaña nevada.

—Ha de hacer frío en la cumbre de aquella montaña—

musitó el rico a su amigo.

—Más frío de lo que yo quiero pensar—replicó el amigo.

—Me pregunto—dijo el rico—si alguna persona podrá sobrevivir una noche en aquel picacho sin ningún cobertizo ni fuego ni manta para protegerle del frío.

—Yo opino que un hombre fuerte sí podría—repuso el amigo—, aunque yo no querría intentarlo.

—Lo dudo—dijo el rico—. Y de hecho, estoy dispuesto a apostar a que ningún ser humano podría aguantar una noche en aquella altura sin cobija ni abrigo ni protección del frío, ni tampoco una fogata con que calentarse. Daría mil dólares y cien hectáreas[1] de terreno a cualquiera que lo hiciera.

El muchacho casi no podía creer lo que oía. Había pasado toda su vida en la alta sierra aguantando el frío. Estaba seguro de que podría sobrevivir una noche en lo alto del cerro. Y con mil dólares y cien hectáreas de terreno, su familia y él podrían vivir felices.

—Señor amo—dijo el muchacho—, ¿habla usted en serio?

El rico miró al muchacho y respondió:—Yo no soy hombre de disparates. Por supuesto que hablo en serio.

—Yo puedo pasar la noche en la montaña—aseguró el muchacho—. Lo haré esta misma noche.

—Acuérdate de las condiciones de la apuesta—dijo el rico—. No puedes tener protección ni ropa de abrigo—nomás las prendas que ahora llevas puestas. Ni puedes tener ningún fuego para calentarte.

—¡De acuerdo!—dijo el muchacho a su amo, y se dieron la mano. El amo dijo que iba a mandar con él a otros dos criados para observarlo y asegurar que cumpliera con las condiciones de la apuesta.—Está bien—repuso el muchacho, y se fue de la sala sintiéndose seguro de sí mismo y animado de pensar en cómo iba a ayudar a su familia con sus ganancias.

Pero conforme la manaña se convertía en tarde, le iban entrando dudas. Tal vez no tuviera fuerzas para aguantar toda la noche. Así que cuando se encaminó para el cerro acompañado de los otros dos peones, el muchacho les dijo:—Pasemos por mi pueblo rumbo al monte. Quisiera visitar a mi familia y pedirle una bendición a mi madre.

Cuando llegaron a la aldea del muchacho, fueron a su casa y el muchacho le explicó a su madre la apuesta que había hecho con su amo.—Y ahora no estoy tan seguro de que sea bastante fuerte para aguantar toda la noche en aquella cumbre helada.

—No te preocupes, hijo mío—le dijo su madre—. Acuérdate del viejo dicho: Con corazón puro se hace lo duro. Y además, yo te ayudo. Voy a las afueras del pueblo y ahí enciendo una hoguera. La mantengo toda la noche. Tú, cuando estás parado allá en el monte, mira la lumbre. Piensa en el calor que

1. **hectáreas:** medidas de superficie

Palabras básicas

cobertizo: techo sobre soportes para proteger de la lluvia o dar sombra

produce. Y piensa en mí, tu madre, que mantiene el fuego vivo por ti. Eso te dará fuerzas para resistir el frío.

El muchacho se fue de su pueblo y con los dos compañeros subió el cerro. Llegaron a la cumbre cuando se iban desvaneciendo los últimos rayos del sol.

El muchacho les dio su abrigo a los compañeros y se paró en la piedra más alta de la cumbre. Allá abajo en el valle vio un punto reluciente de fuego.

El muchacho pasó toda la noche con la mirada clavada en la fogata. Se imaginaba el círculo de calor producido por las llamas anaranjadas, y pensaba en su madre arrimando leños pacientemente para mantener la lumbre. A veces se le empezaban a doblar las rodillas, y le temblaba todo el cuerpo. Pero se sacudía la cabeza para aclararse la vista y miraba aun más detenidamente la fogata, y le volvía la fuerza. Por fin, la orillita del sol se asomó sobre la sierra del oriente y el muchacho se bajó de la piedra. Recuperó su abrigo de los compañeros y regresó con ellos a la casa de su amo.

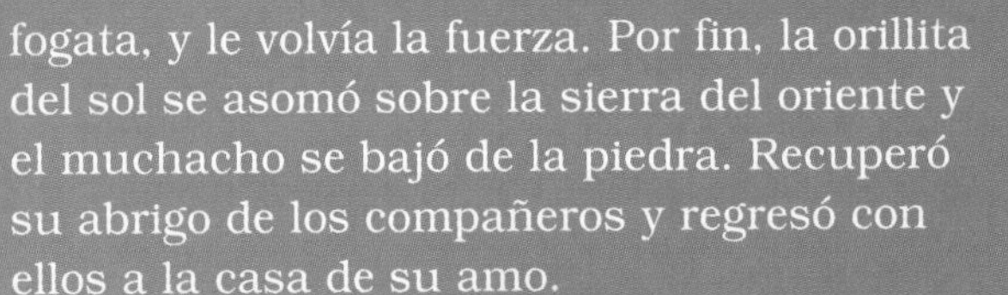

El rico interrogó a los otros criados: —¿Es verdad que el muchacho se paró en la mera cima del monte?

—Señor amo—respondió un criado—, se paró en la piedra más alta de la cima.

—¿Y no tenía manta ni abrigo ni lumbre para calentarse?

—Ninguna de esas cosas tenía.

—Tú sí eres un joven atrevido—el rico le dijo al muchacho—. ¿Cómo cobraste fuerzas para aguantar tan duras penas?

El muchacho respondió francamente: —Mi madre fue a las afueras de nuestro pueblo y encendió una hoguera. La mantuvo toda la noche. Yo tuve la vista clavada en el fuego toda la noche, y eso me dio fuerzas para aguantar.

—¡Ajá!—gritó el rico triunfante—. Tú pierdes la apuesta. Conviniste en no tener fuego, y lo tenías.

—Pero el fuego estaba a varias millas—protestó el muchacho—. No me daba calor ninguno.

—No importa—insistió el rico—. Dijiste que no tendrías fuego y lo tuviste. Has perdido la apuesta.

El pobre muchacho quedó destrozado. Había sufrido toda una larga noche en lo alto del monte por nada. Claro está que el rico se sintió muy satisfecho. Por medio de la sencillez del muchacho había encontrado el pretexto por no pagar mil dólares y cien hectáreas de terreno.

Pero el rico tenía una hija que no había heredado el carácter tacaño de su padre, y a ella le pareció mal la manera en que su padre le había engañado al muchacho. Se puso a pensar en cómo mostrarle lo mal que había hecho. Cuando su padre le contó que iba a dar un gran banquete para todos sus amigos ricos, vio su oportunidad. —Deje que yo cocine para sus amigos, padre—le dijo—. Yo sé exactamente lo que les gustará.

El rico se alegró de que su hija mostrara tanto interés en su fiesta y le dijo que se sentiría orgulloso de que ella cocinara para sus amigos.

Llegó el día del banquete y la hija se puso a trabajar en la cocina. Pronto se llenó la casa de un aroma delicioso. Uno por uno los amigos del rico llegaron. Todos hacían comentarios sobre el maravilloso olor que salía de la cocina.—Mi hija nos está preparando la comida—el rico les decía orgullosamente—. Espero que tengan hambre.

El rico y sus amigos pasaron las primeras horas de la tarde bromeando y platicando. El rico se divirtió repitiéndole a cada invitado el relato de la apuesta que había hecho con su criado, y la astucia con que había evitado pagar.

Pero se hizo larga la tarde, y los invitados se cansaron de hablar y empezaron a sentir hambre. Cayó la noche, y la hija del rico todavía no había servido la cena. Por fin uno de los invitados habló:—Mi amigo—le dijo al rico—, ¿es que usted nos ha invitado a su casa para burlarse de nosotros? ¿Nunca va a servir la comida?

El rico llamó a su hija. Cuando ella se presentó en el comedor le preguntó:—¿Quieres que mis amigos se enojen conmigo? ¿Por qué no has servido la comida?

La muchacha se mostró sorprendida.—Pero, padre—le dijo—, ¿no han estado sus amigos disfrutando del olor de mi cocina toda la tarde?

—Sí—dijo el rico—. ¿Pero qué valor tiene eso? No se puede alimentar con el puro olor de comida.

—¿Cómo puede decir eso?—protestó la muchacha—. Si sus amigos están de acuerdo con usted de que su sirviente se calentó con un fuego que estaba a varias millas de él, estoy segura de que se consideran bien alimentados con el aroma de la comida que he preparado en la cocina.

—¡No!—gritaron todos los invitados—. No estamos de acuerdo, ni con el uno ni con el otro. Tenemos hambre y hemos de comer para quitárnosla. Y a usted—le dijeron al rico—, debiera darle vergüenza. Su criado sin duda ganó la apuesta. Si no le paga todo lo que le debe, nadie en este pueblo volverá a relacionarse con usted.

El rico aprendió la lección. Tan pronto consintió en pagar la apuesta, su hija mandó servir la comida. Todos convinieron en que fue la comida más deliciosa que habían probado en su vida.

En cuanto al muchacho, instaló a su familia en las cien hectáreas de terreno, y con el dinero compró vacas y pollos y ovejas y semillas para sembrar las milpas.[2] Con el tiempo, él también se hizo rico, y dicen algunos que acabó casándose con la astuta hija de su viejo amo. Si es cierto, podemos apostar a que el muchacho vivió feliz el resto de su vida.

2. milpas: sembradas de maíz

Palabras básicas

astucia: habilidad para engañar o evitar el engaño

Responde

¿Qué opinas de las acciones de la hija?

¿Cómo cambia **Joe Hayes** una historia mientras la va relatando? La adorna con su propia imaginación y espera que lo mismo hagan sus lectores. Hayes comenta sobre *Ya aprenderás* y otros cuentos suyos: "Yo espero que los lectores encuentren estos cuentos tan interesantes que ellos mismos empiecen a contarlos. Les invito a usar su propia imaginación para enriquecer los cuentos aún más."

Tú puedes elegir

Joseph D. Younger

Confrontar un impedimento para la lectura le ayuda a James Olmos a triunfar.

¿Por qué algunas personas pueden confrontar sus debilidades e incapacidades, mientras otras ponen excusas?

En la pantalla o en persona, Olmos expresa el mismo mensaje: la autodisciplina y la resolución pueden superar hasta los obstáculos más desalentadores. Para miles de jóvenes hispanoamericanos en todo el país, Olmos es un ejemplo de cómo una persona puede sobreponerse al barrio y triunfar por sí mismo, haciendo sus propias elecciones.

Olmos comenzó a tomar decisiones en East Los Angeles donde nació hace 45 años. Cuando niño, se dedicó casi exclusivamente al béisbol. Practicó con tanto esmero y demostró tanto talento que parecía tener asegurada una carrera como jugador de béisbol profesional. Obtuvo el título de Campeón de Bateo del Golden State antes de ingresar a la escuela secundaria.

Pero durante su adolescencia, las ambiciones de Olmos habían cambiado drásticamente — tal vez, porque ya tenía una visión del futuro que la mayoría de los jóvenes de su edad no poseían. "Recuerdo pensar que mi carrera como jugador de béisbol terminaría, con suerte, alrededor de los 40", dice él. "Luego tal vez tendría la oportunidad de trabajar como entrenador.

Palabras básicas

desalentadores: fatigantes, que quitan el ánimo

Pero básicamente es una carrera a corto plazo."

Olmos enfiló la disciplina que había aprendido en el béisbol a otros intereses, especialmente a los estudios. Su familia siempre había considerado que la educación ofrecía la mejor oportunidad de salir adelante. El padre de Olmos había abandonado la escuela en el sexto grado en México, pero continuó su educación en su país adoptivo, a pesar de las exigencias de mantener una familia.

"Mi padre era un hombre muy paciente", dice Olmos. "Después de llegar a los Estados Unidos, puso todo su empeño en graduarse de la escuela secundaria. Lo vi asistir a la escuela dos veces por semana. Creo que tardó cuatro años, pero se graduó a la edad de 42 años. Yo tenía 14 años y acababa de entrar a la escuela secundaria cuando se graduó. Para mí fue realmente una experiencia extraordinaria. Eso me motivó a ni siquiera considerar la posibilidad de abondar la escuela".

A pesar de que le gustaba la escuela, Olmos admite que era un estudiante regular — especialmente debido a un impedimento para la lectura que no fue diagnosticado hasta años más tarde. "Tengo una forma de dislexia que me dificultaba el aprendizaje y comprensión de la lectura", dice él. "Me cuesta leer en voz alta, y ello me hacía sentir torpe e inseguro".

De la misma manera que un jugador de béisbol mejora su juego pegando pelotas difíciles una y otra

Palabras básicas

empeño: vivo deseo de hacer o conseguir algo

vez, Olmos sabía que la única manera de mejorar su lectura era practicar. Por lo tanto confrontó su inseguridad de lleno y decidió tomar clases de actuación.

"Nunca pensé que me ganaría la vida en la industria del espectáculo", dice él ahora. "En realidad lo hice para vencer mi timidez — para fortalecer mi capacidad de leer, aprender de memoria y pararme frente al público".

Las ofertas cinematográficas no tardaron en llegar, incluyendo papeles secundarios en *Wolfen* y *Blade Runner* y el papel estelar en la "Balada de Gregorio Cortez", la película producida para la cadena PBS que Olmos coprodujo y fue aclamada por la crítica. Cuando el productor Michael Mann le ofreció el papel del teniente de policía en "Miami Vice", Olmos insistió en obtener un contrato que no tuviera carácter de exclusividad para tener la oportunidad de considerar otros proyectos entre la filmación de los episodios de la serie.

Unos de estos proyectos fue *Stand and Deliver*, basada en la historia verídica de Jaime Escalante, el maestro de matemáticas hispanoamericano que luchó tenazmente contra la burocracia educativa para poder enseñar matemáticas a nivel universitario a sus alumnos del barrio. A pesar de la resistencia de los padres, los administradores de la escuela y a veces hasta de los mismos estudiantes, Escalante persuadió, amenazó e inspiró a sus alumnos a reemplazar la desesperación con la

Palabras básicas

teniente: oficial inmediatamente inferior al capitán

determinación. Su clase logró, consistentemente, ubicarse entre las primeras escuelas del estado en las pruebas estándares de cálculo avanzado — a la vez que encontró una manera de salirse de la pobreza y la desesperación.

Olmos se basó en su propia vida para interpretar el personaje de Escalante — sus raíces en el barrio, el afán[1] educativo de su padre, y sus propios principios de autodisciplina y resolución. Al igual que su padre, Olmos considera que la educación ofrece la mejor oportunidad de progresar y aprecia el profundo efecto que los maestros pueden tener sobre sus alumnos. "Es una gran manera de pasar la vida — dedicándola a los niños", dice él. "Todos los maestros saben que es una gran satisfacción observar el desarrollo de una mente joven y la expansión de sus horizontes".

Olmos no sólo obtuvo una nominación al Oscar por *Stand and Deliver*, sino además una mayor apreciación por la labor de Escalante y otros maestros como él...

Ya sea en las películas o personalmente, Olmos hace hincapié[2] en un principio fundamental. "Siempre que hablo con los estudiantes les digo: Todos podemos elegir", dice él. "Se puede encontrar excusas para no hacer algo. Puedes usar las mismas excusas que usa la gente que te rodea. O puedes superar las excusas y lograr la disciplina necesaria para conseguir lo que quieres. No es fácil. Requiere una enorme cantidad de coraje y determinación para sobreponerse a lo que nos rodea.

"Hay algo que es necesario entender", concluye Olmos. "Todos somos un ejemplo. Un niño de ocho años es un ejemplo para uno de cuatro. Uno de trece lo es para uno de siete. Un padre es ejemplo para su hijo. Tú eres un ejemplo para cualquier persona que te está observando, aunque no te des cuenta. Cada acto y elección de una persona constituye un ejemplo".

---

1. **afán:** anhelo
2. **hace hincapié :** insiste en algo

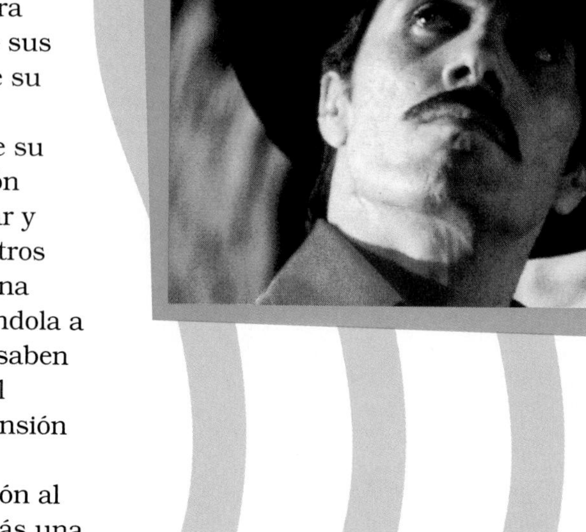

Responde

Si pudieras hacerle una pregunta a Edward James Olmos ¿Cuál sería? ¿Por qué?

Joseph D. Younger, escribe desde hace veinte años. También ha escrito artículos sobre Jay Leno, la corredora de automóviles Lyn St. James, Tom Clancy, Amy Tan y Shelley Fabares.

Analiza la lectura

Recuerda

1. Con tus propias palabras, haz un resumen de *Ya aprenderás*.
2. ¿Cómo respondió Olmos a su dislexia en *Tú puedes elegir*?

Interpreta

3. En *Ya aprenderás*, ¿qué piensas de la madre del muchacho por los consejos que le dio a su hijo?
4. ¿Cómo se relaciona el título de *Ya aprenderás* con las acciones de la hija?
5. ¿Cómo sería la vida de Olmos si no hubiera enfrentado sus dificultades como lo hizo?
6. ¿Qué crees que quiere decir Olmos cuando dice que siempre se pueden encontrar excusas para no hacer algo?

Avanza más

7. ¿Qué aprendiste en *Ya aprenderás* acerca de cómo se puede resolver un problema?
8. ¿Qué aprendiste sobre la disciplina y la dedicación de *Tú puedes elegir*?

Para leer mejor

El tema a través de los personajes

Las cualidades principales de los personajes de un cuento pueden dar la clave del tema, o mensaje central. A veces basta con sólo observar las cualidades de los personajes que triunfan y las de los que fracasan. En los cuentos, sin embargo, la distinción entre el bien y el mal, raras veces es tan clara.

Las siguientes preguntas te ayudarán a reconocer los temas de las selecciones que has leído. Usa la información que escribiste en la gráfica.

1. En *Ya aprenderás*, ¿quiénes son los que "ganan" y quiénes los que "pierden"? ¿Qué cualidades poseen los que "ganan"? ¿Y los que "pierden"?
2. ¿Qué hace Olmos para cambiar el rumbo de su vida y conseguir lo que quiere? ¿Qué puedes aprender de su ejemplo?
3. ¿Cuáles son los temas de los cuentos?

Ideas para escribir

Imagínate que uno de los cuentos que has leído ha salido en las noticias. Los reporteros tienen que analizar los sucesos y buscar más información.

Noticiero En un ensayo, explica cómo las experiencias del hombre rico en *Ya aprenderás* muestran que "lo que el muchacho no aprendió de su madre cuando era niño lo aprenderá de su hija cuando sea hombre".

Poema Piensa que eres un ejemplo como lo describe Olmos. Escribe un poema a alguien que piensas te está tomando como ejemplo. Transmite un mensaje sobre la importancia de la educación, el coraje o la determinación.

Ideas para proyectos

Arte contar cuentos Ahora te toca a ti ser el narrador, exactamente como Joe Hayes. Lee otra vez *Ya aprenderás* para familiarizarte con los hechos y cuéntaselo a tu grupo. Dramatiza con distintos gestos y voces para que los personajes tengan vida propia. Nárralo a la clase.

Tira cómica Es posible que conozcas gente que tuvo que trabajar para poder asistir a la escuela ya sea aquí o en tu país de origen. Escribe una historia sobre las experiencias de esta persona. Escríbela en forma de tira cómica y después compártela con tus compañeros. Combina tu trabajo con el de tus compañeros y hagan un álbum de experiencias de la vida real.

¿Estoy progresando? Evalúa tu progreso escribiendo las respuestas en tu diario.

¿Qué relación hay entre mi opinión de los personajes y el tema?

¿De qué manera puedo usar lo que he leído o aprendido para reconocer a la gente que podría darme buenos consejos?

Actividades Presentación

El libro talonario
de Pedro Antonio de Alarcón
Papá que se despierta cansado en la oscuridad de Sandra Cisneros
El trabajo en el campo
de Rose Del Castillo Guilbault

¿Qué es lo más importante para ti?

Aplica lo que sabes

¿Has perdido alguna vez algo que querías? Tal vez se te rompió un juguete o tu suéter preferido. Cuando lo perdiste a lo mejor te diste cuenta de que podías vivir fácilmente sin él. O a lo mejor todavía hoy lo echas de menos.

Dedica unos momentos a contar a un compañero(a) a cerca de tu "tesoro" perdido y cómo te ha ido sin él. ¿Qué puedes aprender de la experiencia de los demás?

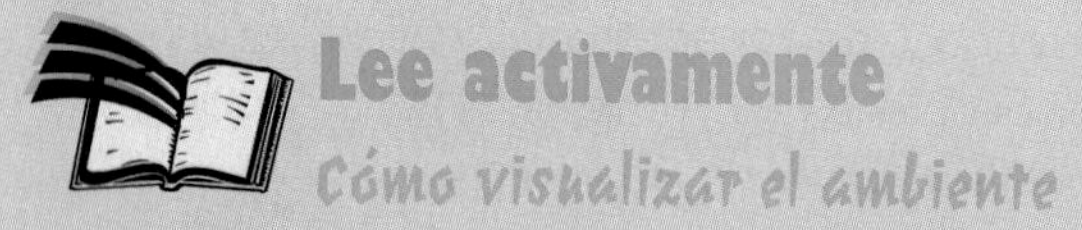

Lee activamente

Cómo visualizar el ambiente

En *El libro talonario* conoces a un granjero a quien se le ocurre una solución ingeniosa frente a un problema delicado; en *Papá que se despierta cansado*..., conoces a una muchacha que quiere expresar el amor a su padre; y en *El trabajo en el campo* conoces a otra muchacha cuya ayuda es de gran valor para su familia. El **ambiente** de cada cuento, es decir, dónde y cómo transcurre la historia, te pueden resultar desconocidos al principio. Sin embargo, este tipo de cuento te puede hacer viajar con la imaginación a otros lugares y otros tiempos. Tienes que utilizar los detalles del cuento y tus conocimientos generales para **visualizar** o imaginar el ambiente. Las ilustraciones también pueden ayudarte.

Mientras vas leyendo los cuentos, usa los detalles descriptivos y las ilustraciones para visualizar la escena. Si lo deseas, puedes dibujar los personajes en su ambiente, por ejemplo, al granjero trabajando en el campo y rodeado de sus calabazas.

Título	Detalles descriptivos
El libro talonario	
Papá que se despierta cansado	
El trabajo en el campo	

El libro talonario

Pedro Antonio de Alarcón

La acción comienza en Rota. Rota es la más pequeña de aquellas lindas poblaciones que forman el gran semicírculo de la bahía de Cádiz;[1] pero a pesar de ser la menor, el gran duque de Osuna la prefirió, construyendo allí su famoso castillo que yo podría describir piedra por piedra... Pero no se trata aquí de castillos ni de duques, sino de los campos que rodean a Rota y de un humildísimo hortelano,[2] a quien llamaremos el tío *Buscabeatas*, aunque no era éste su verdadero nombre.

De los fértiles campos de Rota, particularmente de las huertas, salen las frutas y legumbres que llenan los mercados de Huelva[3] y de Sevilla.[4] La calidad de sus tomates y calabazas es tal que en Andalucía siempre llaman a los roteños[5] *calabaceros y tomateros*, nombres que ellos aceptan con orgullo.

Y, a la verdad, razón tienen para sentir orgullo; pues es el caso que aquella tierra de Rota que tanto produce, es decir, la tierra de

---

1. **Cádiz:** ciudad del sur de España
2. **hortelano:** el que cultiva la huerta
3. **Huelva:** ciudad del sur de España
4. **Sevilla:** ciudad del sur de España
5. **roteños:** personas de Rota

las huertas, aquella tierra que da tres o cuatro cosechas al año, no es tierra, sino arena pura y limpia, salida del océano, soplada por los furiosos vientos del Oeste y esparcida así sobre toda la región roteña.

Pero la ingratitud de la naturaleza está allí más que compensada por la constante laboriosidad del hombre. Yo no conozco, ni creo que haya en el mundo, labrador que trabaje tanto como el roteño. Ni siquiera un pequeño arroyo corre por aquellos melancólicos campos… ¿Qué importa? ¡El calabacero ha hecho muchos pozos de donde saca el precioso líquido que sirve de sangre a sus legumbres! ¡El tomatero pasa la mitad de su vida buscando substancias que puedan servir de abono! Cuando tiene ambos elementos, el agua y el abono, el hortelano de Rota empieza a fertilizar pequeñísimos trozos de terreno, y en cada uno de ellos siembra un grano de tomate o una pepita de calabaza, que riega luego a mano, como quien da de beber a un niño.

Desde entonces hasta la cosecha, cuida diariamente una por una las plantas que allí nacen, tratándolas con un cariño sólo comparable al de los padres por los hijos. Un día le añade a tal planta un poco de abono; otro le echa un jarro de agua; hoy mata los insectos que se comen las hojas; mañana cubre con cañas y hojas secas las que no pueden resistir los rayos del sol o las que están demasiado expuestas a los vientos del mar. Un día cuenta los tallos, las flores y hasta los frutos de las más precoces, otro día les habla, las acaricia, las besa, las bendice y hasta les pone expresivos nombres para distinguirlas e individualizarlas en su imaginación.

Sin exagerar; es ya un proverbio (y lo he oído repetir muchas veces en Rota) que el hortelano de aquel país *toca por lo menos cuarenta veces al día con su propia mano cada planta de tomates que nace en su huerta.* Y así se explica que los hortelanos de aquella localidad lleguen a quedarse encorvados

Palabras básicas

precoces: que maduran antes de lo acostumbrado

hasta tal punto, que sus rodillas casi les tocan la barba.

Pues bien; el tío *Buscabeatas* era uno de estos hortelanos.

Principiaba a encorvarse en la época del suceso que voy a referir. Tenía ya sesenta años...y había pasado cuarenta labrando una huerta próxima a la playa.

Aquel año había criado allí unas enormes calabazas que ya principiaban a ponerse amarillas, lo cual quería decir que era el mes de junio. Las conocía perfectamente el tío *Buscabeatas* por la forma, por su color y hasta por el nombre, sobre todo las cuarenta más gordas y amarillas, que ya estaban diciendo *guisadme*.

—¡Pronto tendremos que separarnos!—les decía con ternura mientras las miraba melancólicamente.

Al fin, una tarde se resolvió al sacrificio y pronunció la terrible sentencia.

—Mañana—dijo—cortaré estas cuarenta y las llevaré al mercado de Cádiz. ¡Feliz quién se las coma!

Se marchó luego a su casa con paso lento y pasó la noche con las angustias de un padre que va a casar una hija al día siguiente.

—¡Pobres calabazas mías!—suspiraba a veces sin poder dormirse. Pero luego reflexionaba, y concluía por decir: —Y ¿qué he de hacer, sino venderlas? ¡Para eso las he criado! ¡Valdrán por lo menos quince duros!

Figúrese, pues, cuál sería su asombro, cuánta su furia y cuál su desesperación, cuando, al ir a la mañana siguiente a la huerta, halló que, durante la noche, le habían robado las cuarenta calabazas. Púsose a calcular fríamente, y comprendió que sus calabazas no podían estar en Rota, donde sería imposible venderlas sin peligro de que él las reconociese.

—¡Como si lo viera, están en Cádiz!—se dijo de repente. —El ladrón que me las robó anoche a las nueve o a las diez se ha escapado en el *barco de la carga*... ¡Yo saldré para Cádiz hoy por la mañana en el *barco de la hora*, y allí cogeré al ladrón y recobraré a las hijas de mi trabajo!

Así diciendo, permaneció todavía unos veinte

minutos en el lugar de la catástrofe, contando las calabazas que faltaban, hasta que, a eso de las ocho, partió con dirección al muelle.

Ya estaba dispuesto para salir el *barco de la hora*, pequeña embarcación que conduce pasajeros a Cádiz todas las mañanas a las nueve, así como el *barco de la carga* sale todas las noches a las doce, llevando frutas y legumbres. Llámase *barco de la hora* el primero, porque en una hora, y a veces en menos tiempo, cruza las tres leguas que hay entre Rota y Cádiz. Eran, pues, las diez y media de la mañana cuando se paraba el tío *Buscabeatas* delante de un puesto de verduras del mercado de Cádiz, y le decía a un policía que iba con él:

—¡Estas son mis calabazas! ¡Coja usted a ese hombre! Y señalaba al vendedor.

—¡Cogerme a mí!—contestó éste, lleno de sorpresa.—Estas calabazas son mías; yo las he comprado…

—Eso podrá usted decírselo al juez—contestó el tío *Buscabeatas*.

—¡Que no!

—¡Que sí!

—¡Tío ladrón!

—¡Tío tunante!

—¡Hablen ustedes con más educación! ¡Los hombres no deben insultarse de esa manera!—dijo con mucha calma el policía, dando un puñetazo en el pecho a cada uno.

En esto ya se habían acercado algunas personas, y entre ellas estaba el jefe bajo cuya autoridad están los mercados públicos. Informado el jefe de todo lo que pasaba, preguntó al vendedor con majestuoso acento:

—¿A quién le ha comprado usted esas calabazas?

Palabras básicas

muelle: construcción en los puertos donde se cargan y descargan los barcos

—Al tío Fulano, vecino de Rota... —respondió el vendedor.

—¡Ése había de ser! —gritó el tío *Buscabeatas.*— —¡Cuando su huerta, que es muy mala, le produce poco, roba en la del vecino!

—Pero, suponiendo que a usted le hayan robado anoche cuarenta calabazas—dijo el jefe, dirigiéndose al hortelano, —¿cómo sabe usted que éstas, y no otras, son las suyas?

—¡Vamos!—replicó el tío *Buscabeatas.* —¡Porque las conozco como conocerá usted a sus hijas, si las tiene! ¿No ve usted que las he criado? Mire usted: ésta se llama *Rebolando*; ésta, *Cachigordeta*; ésta, *Barrigona*; ésta, *Coloradilla*; ésta, *Manuela...*, porque se parecía mucho a mi hija menor.

Y el pobre viejo se echó a llorar como un niño.

—Todo eso está muy bien—dijo el jefe;—pero la ley no se contenta con que usted reconozca sus calabazas. Es necesario que usted las identifique con pruebas indisputables....Señores, no hay que sonreírse... ¡Yo soy abogado!

—¡Pues verá usted qué pronto le pruebo yo a todo el mundo, sin moverme de aquí, que esas calabazas se han criado en mi huerta!— dijo el tío *Buscabeatas.*

Y echando al suelo un saco que llevaba en la mano, se arrodilló y empezó a desatarlo tranquilamente. La curiosidad de todos los que le rodeaban era grande.

—¿Qué va a sacar de ahí?—se preguntaban todos.

Al mismo tiempo llegó otra persona a ver qué pasaba en aquel grupo, y al verla el vendedor exclamó:

—¡Me alegro de que llegue usted, tío Fulano! Este hombre dice que las calabazas que me vendió usted anoche son robadas. Conteste usted...

El recién llegado se puso más amarillo que la cera, y trató de irse, pero los demás se lo impidieron, y el mismo jefe le mandó quedarse.

En cuanto al tío *Buscabeatas*, ya se había encarado con el supuesto ladrón diciéndole:

—¡Ahora verá usted lo que es bueno!

El tío Fulano, recobrando su sangre fría, le replicó:

—Usted es quien ha de ver lo que habla; porque, si no prueba su acusación, como no podrá hacerlo, irá a la cárcel. Estas calabazas eran mías; yo las he criado, como todas las que he traído este año a Cádiz, en mi huerta, y nadie podrá probarme lo contrario.

—¡Ahora verá usted!—repitió el tío *Buscabeatas*, acabando de desatar el saco.

Rodaron entonces por el suelo una multitud de tallos verdes, mientras que el viejo hortelano, sentado sobre sus pies, hablaba así al pueblo allí reunido:

—Caballeros: ¿no han pagado ustedes nunca contribución? ¿Y no han visto aquel libro verde que tiene el recaudador,[6] de donde va cortando recibos dejando siempre pegado en el libro un pedazo para poder luego probar si tal recibo es falso o no lo es?

—Lo que usted dice se llama el libro talonario,—dijo gravemente el jefe.

—Pues eso es lo que yo traigo aquí: el libro talonario de mi huerta, o sea los tallos a que estaban unidas estas calabazas antes de que me las robara ese ladrón. Y, si no, miren ustedes. Este tallo es de esta calabaza... Nadie puede dudarlo... Este otro...ya lo están ustedes viendo...es de ésta otra... Este más ancho...es de aquélla... ¡Justamente! Y éste de ésta... Ese, de ésa...

Y mientras que hablaba, iba pegando el tallo a las calabazas, una por una. Los espectadores veían con asombro que, efectivamente, los tallos correspondían exactamente a aquellas calabazas, y entusiasmados por tan extraña prueba todos se pusieron a ayudar al tío *Buscabeatas* exclamando:

—¡Nada! ¡Nada! ¡No hay duda! ¡Miren ustedes! Este es de aquí... Ese es de ahí... Aquélla es de éste... Esta es de aquél.

Las carcajadas de los hombres se unían a los silbidos de los chicos, a los insultos de las mujeres, a las lágrimas de triunfo y de alegría del viejo hortelano y a los empujones que los policías daban al convicto ladrón.

Excusado es decir[7] que además de ir a la cárcel, el ladrón tuvo que devolver los quince duros que había recibido del vendedor, y que éste se los entregó al tío *Buscabeatas*, el cual se marchó a Rota contentísimo, diciendo por el camino:

—¡Qué hermosas estaban en el mercado! He debido traerme a *Manuela*, para comérmela esta noche y guardar las pepitas.

6. **recaudador:** el que cobra dinero

7. **excusado es decir:** no hace falta decir

Responde

¿Te gustaría vivir en Rota? Explica por qué.

De joven, **Pedro Antonio de Alarcón** (1833–1891) llevó una vida aventurera: se batió en duelo, sirvió como voluntario para el ejército de España en Marruecos y escribió la historia de sus viajes por Italia. Es uno de los escritores españoles más populares, sobre todo por su novela *El sombrero de tres picos*, una historia cómica sobre una aldea en el sur de España.

Papá que se despierta cansado en la oscuridad

Sandra Cisneros

Se murió tu abuelito, dice Papá una mañana temprano en mi cuarto. *Está muerto*, y como si en ese momento él acabara de escuchar la noticia, mi valiente Papá se apachurra[1] como abrigo, y llora, y no sé qué hacer.

Yo sé que tendrá que irse, que tomará un avión a México, allá estarán todos los tíos y tías y se tomarán una foto en blanco y negro frente a la tumba con flores en forma de lanzas en un florero blanco porque así despiden a los muertos en ese país.

Como soy la mayor, Papá me ha avisado primero y ahora me toca dar la noticia a los demás. Tengo que decirles por qué no podemos jugar. Les tendré que pedir que hoy se estén quietos.

Papá, sus gruesas manos y sus gruesos zapatos, que se despierta cansado en la oscuridad, que se peina el pelo con agua, bebe su café y antes de que despertemos ya se ha ido, hoy está sentado en mi cama.

Y yo pienso qué haría si mi papá muriera. Rodeo a mi padre con mis brazos, y lo abrazo, lo abrazo, lo abrazo.

1. **apachurra:** aplastar

Responde

Explícale a la narradora cómo piensas tú que puede demostrale a su padre lo que siente por él.

Palabras básicas

lanzas: armas compuestas de un hasta con un hierro pontiagudo

Bebe Moore Campbell, una crítica que escribe en el New York Times Book Review, dijo, "**Sandra Cisneros** usa su cultura latina y una prosa precisa para producir inolvidables personajes que al lector le gustaría llevarse consigo. No es sólo autora, sino una autora absolutamente fundamental.

El trabajo en el campo

Rose Del Castillo Guilbault

Traducción de Ruth Barraza

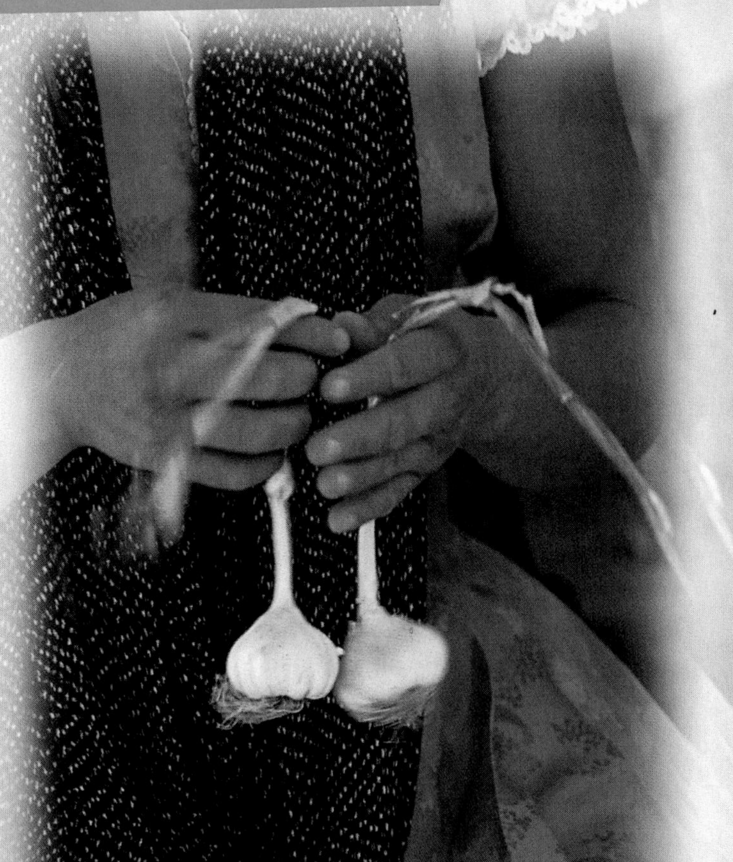

El "fil"[1] era como mi padre y sus amigos lo llamaban: un anglicismo para referirse al campo, a la siembra. Los primeros trabajos que tuve fueron en el "fil". Yo crecí en el valle de Salinas donde, si eres joven y mexicano, los únicos trabajos que puedes conseguir durante el verano son en la agricultura.

Aunque no hay absolutamente nada romántico en el trabajo del campo, en cambio sí ofrece un ambiente fértil donde aprender importantes lecciones sobre el trabajo, los valores familiares y lo que significa para un mexicano crecer en los Estados Unidos. Los campos son el escenario donde se representan las verdades de la vida: las luchas, dificultades, humillaciones, el humor, la amistad y la compasión. Para muchos jóvenes mexicanos el trabajo en el campo representa prácticamente un rito de iniciación.

1. **"fil":** pronunciación hispanizada de la palabra inglesa "field," que quiere decir campo o terreno

Palabras básicas

escenario: lugar del teatro donde actúan los personajes

Recuerdo con desagradable claridad la primera vez que trabajé en el campo. Fue durante el verano del año en que cumplí los once años. Me sentía desilusionada y aburrida. Quería salir de vacaciones, como muchos de mis compañeros de clase, pero mis padres no podían darse ese lujo.

Mi madre se mostró muy comprensiva; ella también anhelaba ver a su familia en México, así que se le ocurrió la idea de que podíamos ganar los 50 pesos que necesitábamos para pagar el boleto del autobús de la Greyhound hasta Mexicali, si las dos trabajábamos en la cosecha del ajo que estaba a punto de empezar en la granja donde vivíamos.

El primer escollo que tuvimos que vencer para ganar ese dinero era convencer a mi padre, un mexicano muy tradicional, de que nos dejara trabajar. Él había sido muy claro en ese punto con mi madre. Para él, una esposa que trabajaba, significaba que el hombre era incapaz de sostener a su familia.

Hasta el día de hoy, no tengo ni idea de cómo hizo para convencerlo. Tal vez fue el hecho de que el trabajo iba a durar poco—cinco días—o tal vez fue porque no habíamos podido ir a México en más de un año. Mi padre sabía que mi madre necesitaba hacer una visita anual a sus familiares. En todo caso, nos prometió que hablaría con su jefe al día siguiente para pedirle que nos permitiera formar parte de la cuadrilla de recolección del ajo.

El jefe se mostró escéptico acerca de emplearnos. No porque tuviera reparos en contratar a una mujer y a una niña, sino porque le preocupaba nuestra inexperiencia y poca resistencia. Después de todo, éste era un trabajo de hombres y, además, él tenía un plazo que cumplir. ¿Qué sucedería si nosotras retrasábamos la recolección y él tenía que pagar un día extra a un trabajador?

—¿Desde cuándo es la recolección del ajo tal arte?—replicó mi madre, cuando mi padre le comunicó esa noche las reservas del jefe. Pero enseguida le dijo que el jefe había decidido darnos una oportunidad.

Empezamos inmediatamente, a las seis de la mañana del día siguiente. La mañana de agosto era fría y gris, aún cubierta por una neblina húmeda. Nos pusimos varias capas de ropa para protegernos del frío de la madrugada: una camiseta, una chaqueta, una sudadera; a medida que el sol fuera calentando nos iríamos quitando ropa. Nos envolvimos bufandas alrededor de la cabeza y luego nos cubrimos con gorros de punto. Este era nuestro uniforme de trabajo en el campo, y es el mismo uniforme que todavía usan los hombres y mujeres que uno ve cuando viaja por los valles de California.

Un capataz nos mostró la forma correcta de recoger el ajo. "Enganchen el saco en este cinturón. Así las manos quedan libres para recoger el ajo y echarlo en el saco".

Observamos cuidadosamente mientras él se acomodaba el saco a la cintura y caminaba lentamente por el surco, inclinándose ligeramente mientras sus manos giraban como una máquina segadora, haciendo que los bulbos volaran del suelo hasta el saco.

—Fácil—dijo enderezando su saco.

Y yo aprendí que era fácil hasta cuando el saco comenzaba a llenarse. Entonces, no sólo no se quedaba en el gancho del cinturón, sino

Palabras básicas

escollo: obstáculo

escéptico: persona que duda mucho y no tiene fe

que se volvía tan pesado que era imposible para una niña de once años poder arrastrarlo.

Me pasé toda la mañana probando distintas formas de mantener el saco alrededor de la cintura. Traté de atarlo a diferentes partes del cuerpo con la bufanda. Pero fue inútil: cuando estaba lleno hasta cierto nivel, era sencillamente imposible moverlo. Así que recurrí a un método más laborioso, pero efectivo. Arrastraba el saco con las dos manos y lo dejaba quieto en un lugar, luego iba y venía corriendo, recogiendo puñados de ajo que depositaba en el saco. Debo de haber parecido muy tonta.

Escuché risas en los campos distantes. Miré a mi alrededor, preguntándome cuál sería el chiste, y poco a poco me di cuenta de que se reían de mí. Me dio un vuelco el estómago cuando escuché el impaciente crujido de las botas del capataz detrás de mí.

¿Me iría a decir que me fuera a casa?

—No, no, no lo estás haciendo bien —getisculó violentamente enfrente de mí.

—Pero no puedo hacerlo de la misma forma en que usted lo hace. El saco es muy pesado —le expliqué.

De repente se escucharon voces de hombre:

—¡Déjala, hombre! Déjala que lo haga a su manera.

El capataz se encogió de hombros, volteó los ojos, y se alejó murmurando entre dientes. Mi madre se me acercó sonriendo. Era la hora del almuerzo.

Después del almuerzo, el sol de la tarde me aletargó. El sudor me corría por la espalda y hacia que me picara la piel y que me pusiera pegajosa. Era desalentador ver cómo todos me pasaban. La tarde avanzaba tan pesadamente como el saco que yo llevaba.

Al final del día me sentía como si alguien me hubiera puesto una plancha caliente entre los hombros.

Los días siguientes se convirtieron en una confusión de músculos adoloridos y bulbos de ajo. Los surcos parecían estirarse como si fueran elásticos, expandiéndose más cada día que pasaba. La sonrisa de mi madre y sus palabras de ánimo, que me aliviaban en los primeros días, ya no me confortaban.

Aun en casa me sentía invadida por el insidioso ajo. Se me introducía en la piel y en la ropa. No importaba cuánto me restregara, el ajo parecía emanar de mis poros y el olor me sofocaba en el sueño.

En la que iba a ser mi última mañana de trabajo, sencillamente no pude levantarme de la cama. Tenía el cuerpo tan adolorido que el más ligero movimiento lanzaba oleadas de dolor por mis músculos. Tenía las piernas temblorosas de tanto agacharme y sentía como si me hubieran partido los hombros. Todo mi cuerpo era un dolor palpitante. ¡El campo me había vencido!

—Simplemente no puedo hacerlo —le dije llorando a mi madre, y las lágrimas me sabían a ajo.

Palabras básicas

insidioso: malintencionado
restregara: limpiara, frotara con fuerza

—Vale la pena trabajar para conseguir todo lo que vale la pena tener —me dijo suavemente.

—No me importan las vacaciones. Estoy cansada. No vale la pena —le dije llorando.

—Sólo faltan unas pocas hileras. ¿Estás segura de que no puedes terminar? —insistió mi madre.

Pero para mí, esas pocas hileras podían muy bien haber sido ciento. Me sentía muy mal por haberme dado por vencida después de trabajar tanto, pero, francamente, no me parecía justo tener que pagar un precio tan alto para ir de vacaciones. Después de todo, mis amigos no tenían que hacerlo.

Mi madre estuvo muy callada todo el día. Yo había olvidado que se trataba de sus vacaciones también. Mi padre se sorprendió de encontrarnos sentadas y arregladas cuando llegó a casa. Escuchó en silencio las explicaciones de mi madre. Y, después de una pausa, dijo:

—Bueno, si todos trabajamos, podemos todavía terminar esta noche los surcos que faltan, justo dentro del plazo.

Al mirar los ojos de mi padre, enrojecidos y rodeados de un círculo de polvo, sus cabellos polvorientos y su overol manchado de lodo, me sentí sobrecogida por un extraño sentimiento de lástima y gratitud al mismo tiempo. Por la inclinación de sus hombros, me daba cuenta de que estaba cansado de su agotador trabajo en el campo. Y terminar lo que faltaba del nuestro representaba poco menos que un acto de amor.

Me sentía hecha pedazos. La idea de enfrentarme nuevamente al campo, me aterrorizaba. Pero no dije nada, y me tragué mi repugnacia hasta que se me formó un nudo en la garganta.

Esa noche de verano, los tres trabajamos codo a codo, bromeando, hablando, riendo, mientras terminábamos el trabajo. Cuando terminamos de colocar el último saco de ajo, ya había oscurecido y nosotros nos habíamos quedado silenciosos. Las últimas luces del atardecer me hicieron sentir tan apacible como el alivio de saber que el trabajo estaba finalmente concluido.

Trabajé todos los veranos siguientes; algunos en el campo (nunca más en la recolección del ajo), y más adelante en las empacadoras de vegetales, siempre al lado de mi madre. El trabajar juntas creó entre nosotras un lazo muy especial. Y, a través de esta relación, y de mi relación con otras familias mexicanas arrojadas a esta sociedad agrícola, recibí una educación tan sólida y rica como la tierra que trabajamos.

¿Has trabajado alguna vez para ganar algo como una vacación, una bicicleta nueva o algo por el estilo? ¿Qué hiciste? ¿Cómo te sentiste cuando lograste lo que querías?

Rose Del Castillo Guilbault forma parte de un amplio grupo de escritores que, desde Estados Unidos y en inglés, se ocupan de representar la cultura y la situación del latino en este país. En *El trabajo en el campo* la escritora desarrolla un tema que conoce bien: el duro trabajo en el campo del inmigrante mexicano.

Analiza la lectura

Recuerda

1. En *El libro talonario*, ¿cuál es la solución ingeniosa del tío Buscabeatas?
2. ¿Qué tiene la narradora que decirle a su familia en *Papá que se despierta cansado…*?
3. ¿Por qué va a trabajar en los campos de ajo la narradora de *El trabajo en el campo*?

Interpreta

4. ¿Por qué el tío Buscabeatas quiere tanto a sus plantas?
5. ¿Cómo influye el ambiente para que la solución que el tío Buscabeatas tiene en mente se realice?
6. En *Papá que se despierta cansado…*,¿cómo afecta a la narradora la muerte de su abuelo?
7. Describe la relación de la narradora con su familia, en *El trabajo en el campo*.
8. ¿Qué hace cada personaje de *El trabajo en el campo* para ayudar a resolver el problema?

Avanza más

9. En los tres cuentos, ¿qué era lo más importante para cada uno de los personajes? ¿Qué aprendiste sobre las cosas que atesoras?

Para leer mejor

Cómo comprender el ambiente y el personaje

Durante la lectura de cada texto, tal vez no visualizaste desigualdades entre la gente y el lugar. Por ejemplo, probablemente no visualizaste al tío Buscabeatas con el pelo color púrpura, ni imaginaste los campos de ajo en la luna. El **ambiente** de un cuento y sus personajes están muy relacionados, pues éste influye en los pensamientos, los sentimientos, la manera de hablar y los actos de los personajes. Como te puedes imaginar, los personajes de *El trabajo en el campo* serían muy distintos si el cuento estuviera ambientado en donde vives. Escoge entre *El libro talonario* y *El trabajo en el campo* y prepara dos listas, con los respectivos encabezamientos: "**personaje** y **ambiente**".

1. Usando las listas de tus mapas, explica cómo el ambiente influye en el personaje que escogiste.
2. Imagínate cómo serías si vivieras en el ambiente que escogiste.

Ideas para escribir

Imagina que eres el personaje principal de uno de los cuentos.

Manual Escribe un manual que explique cómo se lleva a cabo el trabajo del hortelano. Incluye un dibujo que muestre cómo vences los obstáculos.

Tarjeta postal Diseña una tarjeta postal de uno de los ambientes para mandársela a un amigo. Describe a la gente, el clima y el paisaje. Explica por qué te gusta el lugar donde estás y por qué crees que también le gustaría a tu amigo. Ilustra la tarjeta con un dibujo que muestre cómo vive la gente de esa región.

Ideas para proyectos

El cultivo del ajo Necesitarás un cartón de leche vacío, un bolígrafo, un poco de tierra, una pequeña bandeja de plástico y tres o cuatro dientes de ajo. Haz cuatro agujeros con el bolígrafo en el fondo del cartón. Abre el cartón para que los lados queden en ángulo recto. Llena el cartón con la tierra y ponlo en la bandeja. Siembra los dientes de ajo a una pulgada de la superficie y riégalos diariamente. Escribe un diario sobre el progreso que vas observando.

Cartel de viajes Imagínate que acaban de nombrarte jefe de la Agencia para el Turismo a Rota. Dibuja un cartel mostrando el pueblo, la gente, los alrededores de la región y las atracciones turísticas.

¿Estoy progresando? Contesta estas preguntas con un compañero o en un grupo.

¿Cómo utilizaré lo aprendido para poder comprender la relación entre el ambiente y los personajes en otros cuentos?

¿Cuál trabajo escrito mío pondré en mi portafolio? ¿Por qué?

Depende de ti

Los proyectos...............

Las lecturas de este capítulo te ayudarán a concluir, por cuenta propia, qué es lo que tiene mayor importancia para ti, a quién o a quiénes puedes recurrir si necesitas consejo y qué aportarás a tu comunidad. Escoge uno de los proyectos siguientes para poner en práctica lo que has aprendido en esta unidad.

Campaña en pro del ambiente En grupo, escoge un problema del medio ambiente y desarrolla una campaña para informar a la gente sobre dicho problema. Se podrían hacer camisetas, carteles, botones lemas, discursos, enviar cartas al periódico y organizar actividades especiales como la producción de una escena satírica o asambleas en la escuela con invitados de honor. Asegúrate de que tu mensaje sea claro y consistente durante la campaña.

Espectáculo de variedades En grupo, planea la producción de un espectáculo titulado "Nos toca a nosotros". Decide las actuaciones y las clases de talento que vas a presentar. Organiza el orden de aparición de los participantes, según la originalidad, el mensaje y la duración de cada presentación. Diseña el programa haz las copias suficientes prepara el escenario, el vestuario y el acompañamiento musical. Ensaya el espectáculo y después preséntalo en público.

Día internacional Con tu clase, celebra la riqueza cultural mundial y planea un Día Internacional. Primero, dibuja un mapa mundial e invita a cada alumno a escribir su nombre en su país de origen. Utiliza cuentos, poemas y tus propias composiciones y dibujos para organizar una exposición cultural. Incluye folletos de viajes y listas de palabras de otras lenguas. Fija fecha para la celebración e incluye comidas típicas, ropas tradicionales y costumbres de todas partes del mundo.

¡Adelante!
Libros de interés

Cuento para Susana
de Josefina R. Aldecoa

Una madre le enseña a su hija, Susana, sobre la vida y sobre cómo cada persona debe contribuir a la felicidad y a los recuerdos de una familia.

Un golpe de calcetín
de Francisco Hinojosa y Francisco Gonzáles

Un joven vendedor de diarios descubre la identidad de unos ladrones de bancos y de recompensa sale su retrato en primer plano del periódico

Perdido
de Hilda Perera

Perdido es el nombre de un perro que se ha escapado. Cuando se da cuenta de que extraña a su familia, y de que su familia lo extraña a él, debe decidir si va a volver a su casa o no.

Conflicto y resolución

Untitled, Estate of Keith Haring

¡Entérate!

Mira la gente del cuadro; quizás, al igual que ellos, cuando tú tratas de "bailar a tu propio ritmo", surgen conflictos con otras personas. Si perteneces a un grupo y quieres al mismo tiempo que tu individualidad sea respetada, tal vez te preguntes: ¿Qué causa los conflictos? ¿Qué podemos aprender de ellos? ¿Cómo puedo resolverlos?

Actividades

En grupo Escriban una lista titulada "Cosas que puedo hacer cuando tengo un conflicto". Discutan los diversos problemas que tú y tus compañeros enfrentan en sus vidas y podrían enfrentar en el futuro. Hablen de las diferentes maneras de resolverlos. Organicen sus ideas según el grado de importancia de cada situación.

Actividades

Por tu cuenta Crea un diagrama mostrando cómo reaccionas frente a un conflicto. Piensa en un verdadero conflicto que hayas experimentado, o en uno que podrías enfrentar en el futuro. Descríbelo. Después, contesta estas preguntas: ¿Cómo reaccioné frente a esa situación? ¿Qué hice para resolver ese conflicto? ¿Cuál fue el resultado?

Menú de proyectos

Piensa en los siguientes proyectos y escoge uno que te interese. Hay más detalles en la página 120.

- **Álbum sobre la cooperación**
- **Entrevista con un conciliador**
- **Ensayo fotográfico**

Actividades

Presentación

La muralla de Nicolás Guillén
El gimnasta de Gary Soto

¿Te gusta trabajar con otras personas o competir con ellas?

Aplica lo que sabes

¿Has tenido alguna vez un trabajo que habrías terminado más rapido si alguien te hubiera ayudado? ¿Pediste ayuda o intentaste hacerlo tú mismo(a)? En clase, ¿prefieres completar un proyecto en grupo o prefieres trabajar solo(a), acabar el(la) primero(a) y ser el(la) mejor? A algunas personas les gusta trabajar en grupo, mientras a otras les gusta competir. ¿Qué tipo de persona eres?

Piensa en la cooperación y la competencia al hacer estas actividades con un compañero(a):

- Trabajen por separado. Tienen dos minutos para ver quién puede nombrar más palabras que empiecen con las letras *fr*.
- Ahora trabajen juntos. En dos minutos, ¿cuántas palabras que empiecen con *bl* pueden nombrar?

Comenten si se sintieron más cómodos compitiendo o cooperando.

Lee activamente

Cómo hacer un resumen

Al hacer **un resumen** escribes con tus propias palabras los sucesos y detalles principales de un texto. Si resumes un cuento debes incluir los sucesos más importantes pero no dejes fuera ninguna información vital para la historia. Al resumir un poema busca la idea o tema principal además de las acciones o descripciones relacionadas a ello. Hacer **un resumen** mientras lees, te ayudará a entender los acontecimientos y a recordar los datos importantes.

Mientras vas leyendo *La muralla* y *El gimnasta*, haz una pausa después de cada parte importante y resúmela. Utiliza una sección del diagrama para cada una.

La muralla

La muralla

Nicolás Guillén

Para hacer esta muralla,
tráiganme todas las manos:
los negros, sus manos negras,
los blancos, sus blancas manos.
5 ¡Ay!,
una muralla que vaya
desde la playa hasta el monte,
desde el monte hasta la playa, bien,
allá sobre el horizonte.

10 —¡Tun, tun!
—¿Quién es?
—Una rosa y un clavel...
—¡Abre la muralla!

—¡Tun, tun!
15 —¿Quién es?
—El sable del coronel...
—¡Cierra la muralla!

Palabras básicas

sable: espada

—¡Tun, tun!
—¿Quién es?
20 —La paloma y el laurel...
—¡Abre la muralla!—¡Tun, tun!
—¿Quién es?
—El alacrán[1] y el ciempiés...
25 —¡Cierra la muralla!
Al corazón del amigo,
abre la muralla;
al veneno y al puñal,
cierra la muralla;
30 al mirto[2] y la yerbabuena,
abre la muralla;
al diente de la serpiente,
cierra la muralla;
al ruiseñor en la flor,
35 abre la muralla...

Alcemos una muralla
juntando todas las manos;
los negros, sus manos negras,
los blancos, sus blancas manos.
40 Una muralla que vaya
desde la playa hasta el monte,
desde el monte hasta la playa, bien,
allá sobre el horizonte...

---

1. **alacrán:** arácnido que causa picaduras dolorosas y peligrosas; escorpión

2. **mirto:** arbusto de flores blancas y olorosas y fruto en baya de color negro azulado

Palabras básicas

ciempiés: insecto de muchas patas; centípedo, cientopiés

Responde

Si pudieras construir una muralla alrededor de tu casa, ¿a quién o qué dejarías entrar? ¿A quién o a qué le prohibirías el paso?

Nicolás Guillén fue un poeta cubano muy importante. Los críticos consideran que su poesía usa muy bien las cualidades rítmicas del lenguaje. En su poesía, aparece el tema de la justicia social y racial, como también el tema de la dignidad humana.

El gimnasta

Gary Soto

Durante tres días del verano de mis once años escuché a mi madre hablar incesantemente sobre mi primo Isaac, que estaba tomando clases de gimnasia artística. Se sentía orgullosa de él, dijo una tarde mientras machacaba un trozo de carne para preparar *carne asada* y trituraba frijoles para un plato de refritos. Yo estaba celoso porque en varias ocasiones había visto el "Mundo de los deportes" y sabía que la gente admiraba a un atleta que podía dar saltos mortales sin lastimarse. Dejé a un lado mi solitario juego de damas chinas y me eché a rodar un rato por el jardín hasta marearme y cubrirme de hierbas que me daban escozor.

Ese sábado, fui a la casa de Isaac donde comí ciruelas y me senté bajo una glorieta[1] de aluminio mientras miraba a mi primo, vestido con pantaloncitos y camiseta de gimnasia, dando volteretas y vueltas de campana en el patio a la vez que decía "Esta es la manera correcta". Aspiró el aire del jardín, saltó, y cayó sobre sus pies mostrando una sonrisa de dientes perfectos.

Lo seguí hasta el jardín. Cada vez que pasaba un automóvil, hacía una vuelta de campana y miraba con el rabillo del ojo para ver si los pasajeros estaban mirando. Algunos se fijaban mientras que otros seguían de largo con los ojos fijos en la calle.

A mi primo le gusta lucirse, pero pensé que podía darse el lujo de ser el centro de atracción ante un perro curioso que se había acercado para observar. Lo envidiaba y envidiaba sus zapatos de gimnasia, de tela. Me gustaba el aspecto que tenían, eran finos,

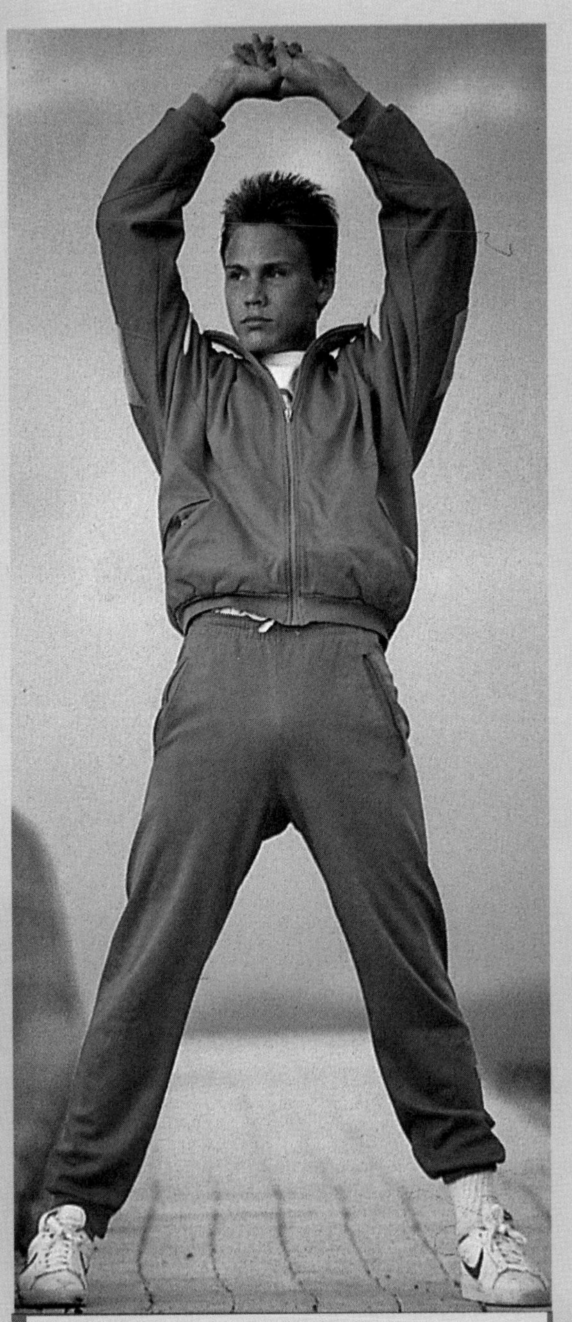

Palabras básicas

volteretas: vueltas del cuerpo en el aire
vueltas de campana: vueltas de carnero

1. **glorieta:** emparrado o estructura que protege del sol

negros y elegantes. Parecían algo especial, y me parecía que mis pies no cabrían en ellos.

Comí las ciruelas y continué mirándolo hasta que quedó todo sudoroso y jadeante. Cuando terminó, le rogué que me dejara usar sus zapatos de tela. El sudor caía a sus pies. Me miró con desdén, se pasó una toalla amarilla por el rostro y se secó el cuello. Se sacó las muñequeras — las muñequeras también me gustaban y traté de ponérmelas. Se lavó las manos. Le pregunté sobre el polvo blanco, y me explicó que era para mantener secas sus manos. Le pregunté por qué necesitaba manos secas para dar volteretas y vueltas de campana. Me dijo que todos los gimnastas mantenían secas sus manos, mientras bebía de una botella llena con un líquido verdoso conteniendo sustancias nutritivas.

Le volví a preguntar si podía usar sus zapatos. Se los sacó y dijo, "Bueno, pero sólo por un rato". Los zapatos me quedaban grandes, pero me gustaban. Caminé hacia el jardín con las muñequeras colgando y las manos blancas como guantes. Sonreí furtivamente, encantado con mi apariencia. Pero al dar una voltereta, los zapatos salieron volando junto con las muñequeras, y mi primo gritó y dio patadas sobre la hierba.

Estaba contento de volver a casa. Sentía envidia y desdicha, pero al día siguiente encontré en el armario un par viejo de zapatillas de vinilo que se parecían muchísimo a los zapatos de gimnasia. Me las puse, halando y empujando a la vez porque eran demasiado pequeñas. Di unos pasos admirando mis pies, que parecían globos hinchados con agua, y salí al jardín decidido a hacer volteretas. Un amigo, con un lado de la boca llena de semillas de girasol, frenó bruscamente su bicicleta. Dejó de masticar y me preguntó por qué estaba usando zapatillas en un día tan caluroso. Le hice una mueca y le expliqué que eran zapatos de gimnasia, no zapatillas. Se quedó un rato mirándome hacer volteretas y luego se fue haciendo equilibrio sobre una rueda.

Volví a entrar. Busqué una cinta para atarla a mis muñecas, pero sólo encontré curitas circulares en el botiquín. Metí las manos en harina para mantenerlas secas y salí nuevamente a dar volteretas y, finalmente, después de varias intentos fallidos[2], di una vuelta de campana que casi

2. fallidos: frustrados, sin efectos

Palabras básicas

zapatillas: calzado especial para practicar deportes

me cuesta la vida cuando caí de cabeza. Me arrastré hasta la sombra sintiendo dolores agudos en los hombros y el cuello.

Mi hermano pasó a toda velocidad en su bicicleta, con la rapidez de un cometa. Me miró fijamente y me preguntó por qué estaba usando zapatillas. No le respondí. Todavía me dolía el cuello. Me preguntó acerca de la harina que me cubría las manos, y le dije que me dejara tranquilo. Abrí la manguera y bebí agua fresca.

Caminé hacia la plaza Romain, donde jugaban a las damas chinas, y me preguntaron una docena de veces por qué estaba usando zapatillas. Estoy tomando clases de gimnasia, mentí, y este es el tipo de zapato que se usa. Cuando un niño me preguntó por qué tenía las manos y el cabello cubiertos de polvo blanco, dejé de jugar y regresé a casa sintiendo latidos de dolor en los pies. Pero antes de entrar me saqué las zapatillas. Los dedos de los pies se refrescaron con la hierba del verano. Dejé que el agua de la manguera corriera sobre mis pies y tobillos azulados, y un escalofrío recorrió mi espalda.

La cena duraba diez minutos, durante los cuales se comía como piraña y luego se pasaba media hora lavando los platos. Cuando terminé, regresé al patio, donde volví a ponerme las zapatillas y continué dando docenas de volteretas hasta cansarme. Cada vez me resultaban más fáciles. Tenía que seguir. Respiré el aroma de la brisa del verano, mezclándose con el humo de una

Palabras básicas

cometa: astro que se mueve a gran velocidad por el firmamento

barbacoa lejana, e intenté una vuelta de campana. Volví a caer sobre el cuello, y esta vez algo de color naranja se me reventó detrás de los ojos. Me quedé tirado en el suelo, cansado y sudoroso con los pies apretados entre las garras de un par de crueles zapatillas.

Vi como llegaba el atardecer y salían las primeras estrellas, desafortunados puntos de luz enredados en los cables telefónicos. Comí una ciruela, maldije y me imaginé a mi primo, quien probablemente estaba dando volteretas ante un perro dormido.

Responde

¿Qué consejos le darías al narrador sobre su deseo de ser gimnasta como su primo Isaac?

Antes: **Gary Soto** se crió en Fresno, California, que se encuentra en el rico valle agrícola de San Joaquín. Trabajó mucho en la cosecha del algodón y de las uvas, lavó automóviles e hizo otros trabajos. Cuando no trabajaba, dice, era un "niño del patio de recreo". En la universidad descubrió la poesía y empezó a escribir.

Ahora: A Gary Soto le gusta empezar a trabajar al amanecer. Cuando le llega una idea para un cuento, dice, "Me gusta agarrarla inmediatamente para que no desaparezca". Escribe sobre la región de California donde creció, y usa detalles de su propia vida en sus cuentos. Aunque a veces levanta pesas, su pasatiempo preferido es el baile azteca, porque le permite gozar de su herencia cultural méxicoamericana.

Palabras básicas

garras: patas de un animal armadas de uñas corvas, fuertes y afiladas

Explora la lectura

Recuerda

1. Según el autor de *La muralla,* ¿quién va a construir la muralla?
2. Haz un resumen sobre los acontecimientos de *El gimnasta*.

Interpreta

3. ¿Qué representa la muralla en el poema de Nicolás Guillén?
4. En *El gimnasta*, ¿cómo describirías tú los esfuerzos del narrador para hacer gimnasia?
5. ¿Qué palabra describe mejor los sentimientos del narrador de *El gimnasta* hacia Isaac? ¿Por qué se siente así?

Avanza más

6. ¿Qué has aprendido de cada texto que leíste sobre cooperación y la competencia?

Para leer mejor

Cómo comprender la estructura narrativa

Al resumir cada sección de *La muralla*, ¿qué averiguaste sobre la estructura del poema? A menudo los poemas están divididos en secciones que se llaman estrofas.

1. ¿Qué ocurre en la primera estrofa de *La muralla*? ¿Dónde se repite esta información?
2. ¿Qué ocurre en las siguientes cinco estrofas?
3. Piensa sobre la estructura de *El gimnasta*. La relación más importante es la del narrador con su primo. ¿Cómo está organizada la historia alrededor de esta relación?

Ideas para escribir

Ayudándonos los unos a los otros podemos muchas veces lograr mucho más.

Poema Escribe un poema sobre personas que trabajan juntas para construir o crear algo. Tu poema puede o no rimar.

Ensayo sobre cómo se hace algo Escribe un ensayo acerca de algo que sepas hacer bien. ¿Cómo le explicarías a alguien que nunca ha realizado esa actividad, cómo se hace?

Ideas para proyectos

Mural Con un(a) compañero(a) haz un dibujo o una escultura de *La muralla* mostrando algunas de las cosas a las que se ha permitido entrar y otras a las que no. También puedes añadir otras cosas.

Cartel de clubes y actividades La gimnasia es una actividad que interesa a los jóvenes. Averigua acerca de clubes y actividades y haz un cartel donde presentes a los demás estudiantes la información que obtengas, de forma interesante, para estimularlos a que participen en dichas actividades y organizaciones.

¿Estoy progresando?

Contesta las siguientes preguntas:

¿El hacer resúmenes me ha ayudado a entender mejor el poema y el cuento? ¿De qué forma?

¿Tengo algún trabajo escrito o visual que pueda incluir en mi portafolio el cual demuestre lo que he aprendido sobre la cooperación y la competencia?

Actividades

Presentación

Murrungato del zapato de María Elena Walsh
Sobre lluvias y sapos de Gustavo Roldán

¿Cómo puedes entender los dos puntos de vista que se confrontan en una disputa?

Aplica lo que sabes

Es muy difícil ver el punto de vista de la otra persona cuando estás en medio de una disputa. Sin embargo, debes tratar de reconocer que ¡en realidad hay dos puntos de vista para cada historia! Con un compañero, completa una o ambas de las siguientes actividades para poder entender dos puntos de vista.

- Dramaticen la disputa siguiente: Una persona se enoja porque esperó a otra que llegó tarde porque se le detuvo su reloj. Después de un minuto, cambien papeles y presenten el punto de vista contrario.
- Escoge una ilustración de una de las selecciones y escribe una descripción rápida de lo que ves ahí. Apunta los detalles que te parecen más importantes. Después, compara tu descripción con la de un compañero.

Lee activamente

Cómo hacer observaciones sobre los puntos de vista de los personajes

Es verdad, cada historia tiene dos lados — ¡y algunas tienen más! Algunos cuentos están contados desde el **punto de vista** de uno de los personajes. Entonces los pensamientos y los sentimientos de los personajes influyen en sus percepciones de los otros personajes y en el desenlace del cuento.

Mientras vas leyendo, completa un diagrama como el siguiente para apuntar tus observaciones sobre los **puntos de vista** de los personajes.

	Nombre del personaje	Título de la selección
Dice:		
Piensa:		
Hace:		

Murrungato del zapato

María Elena Walsh

El gato Murrún no era empleado ni sastre ni militar.

El gato Murrún no era bailarín ni heladero.

El gato Murrún era nada más que linyera,[1] profesión muy respetable entre los gatos, los gatolines[2] y los gatiperros.[3]

Vivía vagando, con su colita a cuestas, por la calle y por la plaza, la azotea y la terraza, sin tener dueño ni casa.

Una noche fría y lluviosa trotaba muy alicaído[4] pensando dónde dormir.

Y de repente... ¡Oooh!

Allí, junto al cordón de la vereda, vio un gran zapato viejo.

1. **linyera:** palabra argentina para vagabundo
2. **gatolines:** palabra inventada que quiere decir gatitos
3. **gatiperros:** palabra inventada hecha con las palabras gato y perros
4. **alicaído:** triste, deprimido

Como Murrún era muy chiquito, se lo probó, es decir, se acurrucó dentro del zapato, y comprobó que le iba de medida. Y que además era abrigado y no dejaba pasar la lluvia. (No sé si ustedes habrán observado que los gatos y las gotas no se llevan nada bien).

Ronroneó y se durmió, con la puntita de la cola asomada por el agujero del zapato.

Durmió y requete[5] durmió. Roncó y réquete roncó y a la mañanita se despertó.

Murrún quiere desperezarse y lavarse la cara, pero... ¿qué pasa?

El zapato está lleno de tierra húmeda... Murrún no puede respirar... se ahoga... tiene que darse vuelta trabajosamente y asomar el hocico por el agujero para tomar un poco de aire...

—*¿Qué es esto? ¿Quién ha llenado de tierra mi casa mientras yo dormía?*

Murrún se pone a arañar valientemente para remover los terrones. Le cuesta mucho, porque están endurecidos por el sol, que ya brilla en el último piso del cielo.

Por fin consigue asomar el hocico al aire... ¿Y qué es lo que ve?

¡Una Plantita! ¡Una Plantita, muy instalada y plantada en el zapato, en su zapato!

—*¡Qué bonito!*, dijo Murrún.

—*Gracias*, contestó la Planta, creyendo que era un piropo.

—*¿Quién te ha dado permiso para instalarte en mi casa?*

—*Estaba tan cansada de vivir siempre quieta en el mismo lugar...*, le contestó la Planta, *soñaba con mudarme a un zapato y pasearme de aquí para allá, de allá para aquí, ir a visitar a la mamá del alhelí*[6]*...*

5. réquete: manera enfática de decir "muy"

6. alhelí: planta de flores blancas, amarillas o rojas, muy cultivada para adorno

—*¡Eso sí que no!*, rezongó Murrún, *está muy bien que un Gato Murrungato viva en un zapato, pero tú ¿para qué quieres zapatos si no tienes pies?*

—*Yo soy Planta*, le contestó ella muy orgullosa, *y aunque no sea planta de pie, igual tengo derecho a vivir en un zapato, sí señor.*

—*¡Pero este zapato es mi casa y no quiero inquilinos! ¡Ffff!*

—*¡Qué lástima!*, lloriqueó la Plantita, *tendré que pedirle a Felipe que me transplante otra vez a la vereda donde todos me pisotean... Ay, yo que soñaba tanto con viajar en zapato por el mundo... ¡Ay, qué va a ser de mí, de mí y de la mamá del alhelí...!*

Murrún se lavaba la cara de muy mal humor.

—*Justo cuando había encontrado una casa tan linda...*, rezongaba[7] entre lengüetazo y lengüetazo.

—*Bueno, si te molesto me voy*, dijo la Plantita.

—*¿Cómo te vas a ir si no tienes patitas, tonta?*

—*Y, esperemos que pase Felipe y me trasplante a la vereda*, dijo ella lloriqueando.

—*Esperemos que pase Felipe...*, suspiró Murrún con cara de mártir.

Y mientras esperaban los dos muy callados, la Plantita, ya que no tenía nada que hacer, se puso a dar flores. Un montón de flores, como cuatro:

7. rezongaba: refunfuñaba

Palabras básicas

desperezarse: estirarse para librarse del entumecimiento

terrones: masas pequeñas de tierra apretada

mártir: persona perseguida por sus opiniones

una celeste,
una colorada,
una amarilla
y una más grande.

Murrún vio las flores y se puso bizco de la sorpresa. No atinó a decir ni mu ni miau ni prr ni fff.

Estiró la patita para juguetear un poco con ellas... y el viento las movía... y Murrún trataba de acariciar las flores muy suavemente, escondiendo las uñas...

—*Cuidado, no las arañes*, dijo la Planta.

—*Debo reconocer*, contestó Murrún sin dejar de jugar, *que aunque eres una Planta muy molesta, tus flores son realmente lindas y peripuestas.*[8]

—*No faltaba más*, dijo la Planta modestamente, bajando las hojas.

—*Y tienen rico perfume*, dijo Murrún con el hocico pegado a los pétalos. *La verdad es que me gustaría tenerlas siempre cerca, para jugar.*

8. peripuestas: muy elegantes

—*Si ahora te gusto más*, dijo tímidamente la Planta, *¿por qué no me llevas a pasear en zapato, como era mi ilusión?*

—*¿Estás loca?*, contestó Murrún.

—*Todo el mundo te miraría con admiración, porque nadie ha visto nunca algo tan maravilloso y floripóndico*[9]*... Viajaríamos... Yo andaría de aquí para allá, de allá para aquí, vería a la mamá del alhelí...*

Entonces Murrún lo pensó bien. El también estaba cansado de vagabundear solo. Y dijo:

—*Bueno.*

Murrún se olvidó de su mal humor y empuñó los cordones.

Allá se fue, llevando a la Plantita con sus flores a pasear en Cochezapato[10] por el mundo.

Y así, con un garabato,
se acaba el cuento del Murrungato.

9. floripóndico: De la palabra floripondio que quiere decir adorno en forma de flor grande. En este contexto significa lleno de flores

10. Cochezapato: palabra inventada de "coche" y "zapato"

María Elena Walsh empezó joven su carrera de escritora. A los 17 años recibió el "Premio Municipal de Poesía" por *Otoño imperdonable*. También escribió cuentos; fue nombrada La Mujer del Año en 1968 y también Ciudadana Sobresaliente de Buenos Aires, la capital de Argentina. Sus cuentos y canciones para chicos forman parte de la juventud de todo niño argentino.

Encuentra tres maneras en que Murrungato y La Plantita te recuerdan a personas que conoces.

Sobre lluvias y sapos

Gustavo Roldán

La sequía no terminaba nunca aquella vez, y todos los animales tuvieron que hacer largos caminos para encontrar un poco de agua. Cuando por fin aparecía un pozo o una lagunita, al día siguiente ya no tenía ni una gota.

Y de nuevo a empezar.

De nada servía que entre el tatú,[1] la iguana, la paloma y el coatí agarraran al sapo de las patas y lo tuvieran horas enteras panza arriba, como decía la abuelita del coatí que había que hacer para que lloviera.

Nada. Lo único que lograban eran las protestas del sapo:

—¡Pero no, chamigo![2] ¡Eso es puro cuento! ¡Son mentiras que los sapos panza arriba podamos hacer llover!

Al final le creían, pero más porque se cansaban de tanto tenerlo cada uno por una pata a ese sapo que no se quedaba quieto, y lo soltaban.

Pero al otro día andaba de nuevo el sapo a los saltos, con todos los bichos atrás, que al final siempre lo alcanzaban. Y otra vez horas y horas panza arriba.

—¡No sean supersticiosos! —gritaba el sapo.

—¡Pero que había sido protestón! —decía sorprendido el coatí.

—Compadre sapo —le hablaba con amabilidad la iguana—, le puede hacer mal a la garganta si grita tanto.

—¡Qué sapo inquieto! —decía la paloma.

Cuando al final lo soltaban, el sapo salía a los saltos, estirándose y echando maldiciones.

—¡No hay caso! —decía el tatú—. ¡Nunca queda conforme!

Así andaban las cosas. Cada cual intentaba a su manera conseguir un poco de agua. Pero no había caso. Ni arriba de los árboles, ni detrás de las hojas secas, ni pegando arañazos en la tierra con la pata izquierda.

—¡Qué vivos! —gritaba el sapo estaqueado—. ¿Por qué no prueban con un

Palabras básicas

sequía: falta de lluvia durante mucho tiempo
supersticiosos: personas que creen en fuerzas ocultas

---

1. **tatú:** armadillo gigante
2. **chamigo:** palabra inventada para decir "amigo"

tatú panza arriba?

—¡No, chamigo —decía el tatú—, tengo la panza muy dura!

—¡Entonces con un coatí!

—¡No y no! —decía el coatí— ¿A quién se le ocurre que un coatí panza arriba pueda hacer llover?

—¡Entonces con el yacaré,[3] que tiene la panza mucho más grande!

Esa idea les pareció buena y aflojaron por un segundo las patas del sapo, que aprovechó para desaparecer en el monte de un solo salto.

Pero ahí nomás se dieron cuenta de que no solamente la panza del yacaré era muy grande, sino todo el yacaré, y de nuevo todo el bicherío salió corriendo detrás del sapo.

Así seguían las cosas. El sapo a los saltos, protestando. La iguana, el tatú, la paloma y el coatí, corriendo y gritándole:

—¡Pará, chamigo sapo! ¡Dejáte agarrar!

Y la lluvia que no caía.

Pero como decía la abuelita del coatí: "no hay mal que dure cien años", apenas noventa y nueve años después cayó una enorme lluvia y se acabaron los problemas.

El coatí, la paloma, la iguana y el tatú estaban más contentos que víbora con pelecho nuevo.

—¡El método dio buen resultado! —dijo con orgullo la iguana meneando la cola.

—¡Tenemos que felicitar al sapo! —añadió la paloma esponjando las plumas lavadas y brillantes.

Y ahí nomás se fueron a buscarlo. Pero cuando los vio venir el sapo, que no se había olvidado de tanto tiempo panza arriba al santo botón, salió disparando a más no poder.

—¡Pará, pará chamigo sapo! —le gritaban todos.

—¡Pará chamigo, queremos conversar!

Responde

¿Son verdaderamente amigos del sapo los otros animales? Si pudieras hablar con ellos, ¿qué les dirías sobre la amistad?

3. **yacaré:** caimán

En una carta que escribe **Gustavo Roldán**, un autor argentino nacido en El Chaco, a sus lectores, describe sus experiencias cuando exploraba por el río Bermejo buscando bichitos. "...andaba descalzo y con poca ropa por las riberas de aquel río... Más tarde tuve que ponerme zapatos, porque ni la Escuela Sáenz Peña ni la Universidad de Córdoba me admitiría así."

Comenta que escribe algunas cosas que imaginaba en aquella época, y otras que se le ocurrieron después. Roldán también dice a los lectores jóvenes que si tienen éxito en subir a un árbol, entonces el monte también puede ser una fiesta para ellos.

Actividades

Descubre el sentido

Analiza la lectura

Recuerda

1. En *Murrungato del zapato*, ¿cómo se siente Murrún cuando se despierta y encuentra una cosa en su zapato?
2. ¿Por qué los animales agarran al sapo, obligándolo a permanecer boca arriba, en *Sobre lluvias y sapos*?

Interpreta

3. En *Murrungato del zapato*, Murrún y La Plantita discuten porque cada cual opina que tiene derecho a vivir en el zapato. ¿A quién favorecerías tu: a Murrún o a La Plantita?
4. *En Sobre lluvias y sapos,* el sapo y los otros animales discuten con respecto a cómo atraer la lluvia. ¿Cuál de los dos puntos de vista favorecerías?

Avanza más

5. Ambos cuentos tratan de unos conflictos y sus respectivas resoluciones. De entre los personajes,¿quiénes aprenden más de los conflictos? ¿Qué aprendiste de estos cuentos?

Para leer mejor

Cómo entender los puntos de vista de los personajes

En cada selección, se presentan por lo menos dos **puntos de vista**. Puedes saber cuál es el punto de vista de cada personaje al **entender** lo que dicen y hacen en el cuento. Por ejemplo, con sus pensamientos, palabras y actos, Murrún, en *Murrungato del zapato,* expresa claramente cuánto resiente la presencia de la planta en su zapato. Las tablas que completaste te ayudarán a contestar las preguntas siguientes:

1. Explica cómo tres observaciones que has hecho sobre un personaje te ayudan a entender el cuento y el punto de vista del mismo.
2. ¿Cuán diferente habría sido la historia de Murrún si La Plantita hubiera habitado el zapato antes que él?

Ideas para escribir

Cada personaje descubrió que existían otro puntos de vista y otras maneras de resolver el conflicto.

Carta Escribe una carta a un amigo que vive lejos. Puede ser un amigo verdadero o imaginario. En la carta, describe un episodio imaginario o real donde aprendiste algo después de haber tenido un conflicto o problema con otra persona. Usa un lenguaje descriptivo y un estilo informal para comunicarte con la persona a quien le escribes.

Diálogo Escribe un diálogo entre dos personajes de una de las selecciones. Cada personaje debe decir qué ha aprendido al comprender el punto de vista del otro. Utiliza un estilo y palabras que reflejen la personalidad de cada uno.

Ideas para proyectos

Juego de resolución de conflictos Con un grupo, crea un juego con el tema de la resolución de conflictos. Haz veinte tarjetas, cada una con el nombre de una persona, por ejemplo, tu hermana, tu peor enemigo, o tu ex íntimo amigo. También haz veinte tarjetas con situaciones, como “te insultó”, “te quitó algo”, o “hizo que dejaras caer la bandeja con tu almuerzo”. Tomen turnos sacando una tarjeta de cada grupo y ofreciendo maneras constructivas de resolver las situaciones, teniendo en cuenta el punto de vista de la otra persona.

Informe oral Busca información sobre amistades o enemistades históricas de renombre. Quizás conozcas un cuento tradicional de tu país natal que pueda facilitar la comprensión de los diferentes “lados” de una historia. Presenta un informe oral sobre tu investigación.

¿Estoy progresando? En tu diario, contesta las preguntas siguientes :

¿Qué aprendí, al analizar los puntos de vista de los personajes, que me ayudará a comprender otros cuentos?

¿Cómo puedo entender los diferentes puntos de vista en una disputa?

¿Qué representa la Estatua de la Libertad?

Aplica lo que sabes

En 1884, el pueblo francés donó dinero para que se construyera la Estatua de la Libertad como un regalo a los Estados Unidos. Los ciudadanos de los Estados Unidos donaron el dinero para construir la base. Mucha gente donó dinero porque apoyaba fuertemente las ideas que representaba la estatua. Con un grupo pequeño, completa una o ambas de las siguientes actividades y explora lo que la estatua significa para ti.

- Mira las fotos que muestran cómo se construyó la Estatua de la Libertad. Habla de lo que piensas y de tus sentimientos hacia la estatua.
- Túrnense para hacer el papel de guía de la Estatua de la Libertad y explicar su significado a turistas que nunca la han visto y que conocen poco sobre ella.

Lee activamente

Cómo identificar el conflicto en una obra dramática

El abuelo y la estatua es una obra dramática, que revela que no todo el mundo estaba a favor de la construcción de la Estatua de la Libertad. Las diferencias de opinión o desacuerdos entre personajes como éstos son a menudo causas de **conflicto** en una obra de teatro. Al identificar estos **conflictos**, entenderás mejor la obra dramática.

El título de *El abuelo y la estatua* te da una idea de cuáles son los lados opuestos en esta obra. La estatua representa a la gente que cree en el ideal de la libertad; el abuelo no cree en la estatua. Utiliza la tabla siguiente para hacer apuntes sobre los desacuerdos entre los personajes.

1. El abuelo no quiere dar dinero.	1. Sheean quiere que el abuelo done dinero.
2.	2.
3.	3.

El abuelo y la estatua

Arthur Miller

PERSONAJES

Personajes del presente de la obra:

NARRADOR

AUGUST

MONAGHAN (Monaghan de joven, un soldado)

Personajes del pasado, sus voces se escuchan en las escenas que el joven Monaghan recuerda:

SHEEAN

MONAGHAN (abuelo del joven Monaghan)

NIÑO MONAGHAN (el joven Monaghan, de niño)

GEORGE
CHARLEY
JACK
MIKE
JOE
(Niños del vecindario, amigos del niño Monaghan)

ALF
UNA JOVEN
UN JOVEN
(pasajeros en el barco de la Estatua de la Libertad)

VOZ EN EL ALTOPARLANTE

VETERANO (visitante de la estatua)

(Música: Tema)

Narrador: La escena se desarrolla en el cuarto piso de un enorme hospital para veteranos con vista al puerto de Nueva York. Un joven sentado en silla de ruedas mira por la ventana — simplemente mira. Después de un rato, se acerca otro joven en silla de ruedas y ambos se quedan mirando.

(*cesa la música*)

August: Monaghan, ¿quieres jugar a las damas conmigo?

Monaghan: Ahora no.

August. Bueno. (*pausa corta*) Monaghan, ¿no estarás deprimido?

Family of European immigrants at Ellis Island c.1930
The Granger Collection, New York

Monaghan: No, no estoy deprimido.

August: Lo único que haces en estos días, es mirar por la ventana.

Monaghan: ¿Qué quieres que haga, que salte a la cuerda?

August: No, ¿pero qué ganas con ello?

Monaghan: La vista es hermosa. Algunas compañías ganan millones simplemente vendiendo postales con esta vista.

August: Sí, pero nadie mira las postales seis y siete horas por día.

Monaghan: Yo soy de por aquí, me trae recuerdos de cuando era niño.

August: Es cierto, ¿eres de Brooklyn, verdad?

Monaghan: Mi casa está como a una milla de aquí.

August: ¿Ah sí? Pero dime, ¿solamente miras el agua? Me da curiosidad. A mí esta vista no me dice nada.

Monaghan: Allá está la Estatua de la Libertad. ¿No la ves?

August: Tienes razón. Si, la vista es grata.

Monaghan: Me gusta. Me recuerda tiempos felices.

August: ¿La Estatua de la Libertad?

Monaghan: Sí, con mi abuelo. Tenía mucho apego a la Estatua de la Libertad.

August: (*riéndose un poco*). ¿No me digas? ¿Qué pasó?

Monaghan: Pues, mi abuelo era el hombre más avaro de Brooklyn. Lo llamaban Monaghan el "despiadado". Guardaba hasta los mangos de los paraguas.

August: ¿Para qué?

Monaghan: Simplemente no soportaba la idea de desperdiciar nada. Después de una tormenta solían quedar muchos paraguas rotos por las calles.

August: ¿Y?

Monaghan: Él se encargaba de recogerlos. En casa, los armarios estaban llenos de mangos de paraguas. Mi abuela decía que él cruzaba el puente de Brooklyn en tranvía simplemente porque podía volver por el mismo pasaje. En ese entonces, si uno no se bajaba del tranvía podía volver por el mismo precio.

August: ¿Qué hacía? ¿Sólo iba y venía?

Monaghan: Sí. Lo hacía sentirse bien. Ahorraba dinero. Dos centavos y medio.

August: ¿Cuál fue la historia con tu abuelo y la Estatua de la Libertad?

Monaghan: Por allá, por el 1887 vivían en la calle Butler. En Brooklyn, la calle Butler llega casi hasta el agua. Un día estaba sentado en el balcón de su casa leyendo un periódico que

Palabras básicas

avaro: codicioso
despiadado: cruel, inhumano

había pedido prestado a los vecinos, cuando de repente se le acercó un hombre, Jack Sheean, que vivía en la misma cuadra.

(*Música: Insertar en el diálogo anterior, luego una pausa y cesa la música*).

SHEEAN: (*con leve acento irlandés*). Muy buenas tardes, Monaghan.

MONAGHAN: (*abuelo*). ¿Cómo está, Sheean? ¿Cómo está?

SHEEAN: Bastante bien, bastante bien. ¿Y cómo está la señora Monaghan?

MONAGHAN: Con calor. Igual que todos los demás este verano.

SHEEAN: Vengo a hablarle sobre el fondo, Monaghan.

MONAGHAN: ¿De qué fondo me habla?

SHEEAN: El fondo de la Estatua de la Libertad.

MONAGHAN: Oh, eso.

SHEEAN: Es hora de que tomemos cartas en el asunto, Monaghan.

MONAGHAN: No me interesa, Sheean.

SHEEAN: No se apresure. Déjeme que le explique. Hay un francés que ha construido una hermosa estatua de la libertad. Ha costado quién sabe cuántos millones. Lo único que nos piden es una contribución para construir una base para la estatua.

MONAGHAN: ¡Ni pienso...!

SHEEAN: Antes de que me conteste. Gentes de todos los Estados Unidos están contribuyendo y los de la calle Butler también. Nos gustaría colgar una bandera en la esquina que diga — "La calle Butler apoya ciento por ciento a la Estatua de la Libertad". Y todos en la calle Butler han contribuido menos usted. ¿A ver si nos da diez centavos? Diez centavos y podemos colgar la bandera. ¿Qué cree usted?

MONAGHAN: No pienso tirar mi valioso dinero por algo que ni siquiera sé si existe.

SHEEAN: ¿Cómo que no sabe si existe?

MONAGHAN: ¿Ha visto usted la estatua?

SHEEAN: No, pero está en un almacén. Y tan pronto consigamos el dinero para construir un pedestal la pondrán en esa isla sobre el río, y todos los barcos que lleguen de Europa la verán y los corazones de los pobres inmigrantes se llenarán de felicidad al ver algo tan hermoso al llegar a este país.

MONAGHAN: ¿Y cómo puedo saber yo si realmente está en ese depósito?

SHEEAN: ¿Usted lee los periódicos, no? Hace un año que se publica en todos los periódicos.

MONAGHAN: ¡Ah! Los periódicos. El año pasado leí en los periódicos que estaban por pavimentar la calle Butler y arreglar los baches. Dése vuelta y mire la calle, Sr. Sheean.

SHEEAN: Está bien. Haré lo siguiente: lo llevaré al depósito para que vea la estatua. Entonces, ¿me dará los diez centavos?

MONAGHAN: Bueno, no le digo ni que sí ni que no. Pero seguramente hay más posibilidades de que lo haga si veo la estatua con mis propios ojos.

SHEEAN: (*molesto*). Bueno. Vamos.

(*Sube la música, baja y desaparece*).

(*Pasos en el depósito... eco... se detienen*).

Y ahora, ¿ve la estatua o no la ve?

MONAGHAN: Sí la veo ¡pero está toda rota!

SHEEAN: ¡Rota! La trajeron de Francia por barco. La tuvieron que desarmar.

MONAGHAN: Les mandaron una estatua de segunda mano, y no pienso pagar como si fuera nueva cuando nos mandan algo que está hecho pedazos.

SHEEAN: Un momento, un momento. Imagínese lo que estoy por decirle, Monaghan, use su imaginación. Cuando esta estatua esté montada medirá más de diez pisos. ¿Acaso pueden meter algo de diez pisos en un edificio de cuatro pisos? Use el sentido común, mi querido Monaghan.

MONAGHAN: ¿Qué es eso que está allí?

SHEEAN: ¿Dónde?

Palabras básicas

baches: hoyos que se forman en los caminos o pavimentos de las calles o carreteras

MONAGHAN: La libreta allí en su mano. ¿Qué dice? Julio i, v (IV) MDCCLXXVI... ¿qué?... ¿qué quiere decir eso?

SHEEAN: Eso significa cuatro de julio de mil setecientos setenta y seis. Está escrito en números romanos. Muy elegante.

MONAGHAN: ¿Y eso para qué sirve? Si van a poner un letrero lo que debería decir es: Sean todos bienvenidos. Así es. Sean todos bienvenidos.

SHEEAN: Ya decidieron que será cuatro de julio de mil setecientos setenta y seis, y ¡cuatro de julio de mil setecientos setenta y seis será!

MONAGHAN: Está bien, entonces que le pidan los diez centavos a otro.

SHEEAN: ¡Monaghan!

MONAGHAN: ¡No señor! Déjeme que le diga. Yo pensé que la estatua no existía pero existe. Está toda rota, es cierto, pero está aquí y tal vez la puedan armar. Pero aunque así sea, ¿me puede explicar qué clase de bienvenida a los inmigrantes es ésa, poner una estatua gigantesca en el medio del río sosteniendo en su mano una libreta que diga Julio iv MCDVC... lo que sea?

SHEEAN: ¡Ésa es la fecha en que se fundó este país!

MONAGHAN: ¡Al diablo con la fecha! Un hombre que llega del mar quiere un lugar donde quedarse, no una fecha. Cuando llegué de Europa, me bajé en el puerto y un tipo me dijo. "¿Necesita una habitación para esta noche?" "Seguro que sí", dije yo, y él me dijo "Bueno, entonces sígame". Me llevó a una pensión. Tan pronto había firmado mi nombre en el registro — algo que ya podía hacer a la fecha — me di vuelta y el tipo había huido con mi maleta. Una estatua no se puede mover tan rápido, pero si va a dar la bienvenida tiene que decir bienvenidos, no MCDC...

SHEEAN: Está bien Monaghan. Sólo puedo decirle una cosa, usted ha deshonrado a la calle Butler. Yo voy a poner los diez centavos por usted.

MONAGHAN: ¡No quiero nada que ver con esto! Es una estafa. Eso es lo que es. En primer lugar está rota, segundo, aunque la paren se caerá con el primer ventarrón.[1]

SHEEAN: ¡Los ingenieros dicen que durará para siempre!

MONAGHAN: ¡Y yo digo que se caerá al río con el primer ventarrón! Mire el interior, es hueco.

SHEEAN: Monaghan, ya no puedo escuchar más. Ni una palabra más. Adiós.

MONAGHAN: ¿Cómo que adiós? ¿Cómo regreso a la calle Butler desde aquí?

SHEEAN: Tiene piernas para caminar.

MONAGHAN: Le recuerdo que llegué en el tranvía.

SHEEAN: Le recuerdo que le pagué el boleto pero no lo volveré a hacer.

---

1. **ventarrón:** viento fuerte

Palabras básicas

estafa: engaño

Monaghan: ¿Sheean? ¡Me ha dejado varado[2]!

(*La música sube y baja*).

Joven Monaghan: Ése era mi abuelo. Por eso me río cada vez que veo la estatua.

August: ¿Llegó a poner los diez centavos?

Joven Monaghan: De cierta manera. Lo que sucedió fue esto: sus hijas se casaron y finalmente mi madre... me llevó a vivir a la calle Butler. Me apegué bastante a mi abuelo. Hasta llegó a hacerme una espada con el mango de un paraguas. Naturalmente, era bastante chico cuando empezó a hablarme de la estatua.

(*Viento fuerte*).

Niño Monaghan: (*suavemente, como si el abuelo estuviera dormido*). ¿Abuelo?

Monaghan: (*despierto*). ¿Eh? ¿Qué estás haciendo levantado?

Niño Monaghan: ¡Ssssh! ¡Escucha!

(*El viento se escucha fuerte y luego disminuye. Más fuerte y vuelve a desaparecer*).

Monaghan: (*alegremente*). ¡Aaaaah! Sí, sí. Esto será suficiente. Esto será suficiente. Lo primero que haremos mañana por la mañana es ir al puerto para ver la estatua del Sr. Sheean destrozada y hundida en el medio de la bahía. Ahora ve a dormir, mañana iremos a verla.

(*Música sube y baja*)

(*pasos*).

Niño Monaghan: Si se cae, ¿todos recibirán su dinero de vuelta? ¿Ah, abuelo? Camina más despacio, no puedo caminar tan rápido.

Monaghan: No sólo recibirán su dinero de vuelta, sino que el Sr. Sheean y todo el grupo que organizó la colecta irán a la cárcel. No te olvides de mis palabras. Vamos a tomar este atajo...

(*los pasos continúan un momento, entonces gradualmente...con desilusión se detienen*).

2. varado: abandonado

Palabras básicas

atajo: senda por donde se abrevia el camino, atrecho

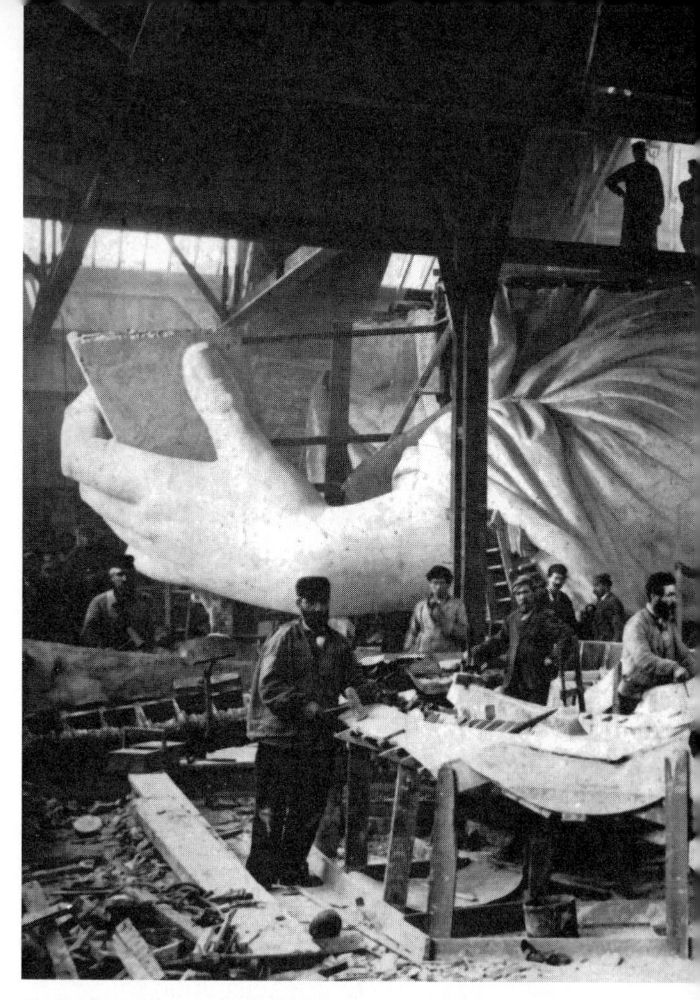

Bartholdi workshop during building of Statue of Liberty
Musée Bartholdi, Colmar, France

Niño Monaghan: Todavía esta allí, abuelo.

Monaghan: Allí está (*sin entender*) no lo entiendo. Anoche hubo un viento terrible. Terrible.

Niño Monaghan: Tal vez se debilitó. ¿No?

Monaghan: Seguro... eso es lo que debe haber pasado. Te apuesto a que está colgando de un hilo (*dándose cuenta*). ¡Por supuesto! Por eso la pusieron en el medio del agua, para que no aplaste a personas inocentes si se cae. ¿Eh, oyes eso?

Niño Monaghan: ¡El viento! ¡Empieza a soplar de nuevo!

Monaghan: Seguro, y ¡mira el cielo, se está poniendo negro!

(*Levanta el viento*)

¡Lo sientes! Mira la estatua por última vez. ¡Si no me equivoco, ya se está inclinando hacia Jersey!

(*Sube y baja la música*)

Joven Monaghan: En mi cuadra, ya me daba vergüenza. Yo seguía asegurándoles a los demás niños que el próximo ventarrón tumbaría la estatua. Incluso, teníamos un juego. Cuatro o cinco niños se paraban en un semicírculo alrededor de uno que era la estatua. El niño que hacía de estatua tenía que pararse sobre sus talones y mirarnos fijamente a los ojos. Luego, todos inhalábamos profundamente y soplábamos en su cara. Siempre se caía como un pedazo de madera. Todos me creían a mí y a mi abuelo... hasta un día. Estábamos tirándole piedras a una vieja lata de leche...

(*sonido que se hace al tirar piedras contra una lata de leche*).

George: (*niño*). ¿Qué hacen?

Niño Monaghan: ¿Qué te parece?

George: Adivinen adónde voy mañana.

Charley: (*niño*). Ya sé, a la iglesia. Cuidado, voy a tirar. (*Pega a la lata*).

George: No, después de misa.

Jack: ¿Adónde?

George: Mi padre me va a llevar a dar un paseo en el barco de la Estatua de la Libertad.

(*Los golpes contra las latas cesan repentinamente*).

Niño Monaghan: ¿Pero supongo que no piensas subir a la estatua?

George: Seguro, esa es la idea.

Niño Monaghan: Pero te puedes morir. ¿Qué pasa si mañana hay una ventolera?

George: Mi padre dice que esa estatua no se caerá aunque todo el viento del mundo y John L. Sullivan la golpeen a la vez.

Niño Monaghan: ¿De veras?

George: Sí. Así es. Mi padre dice que la única razón por la cual tu abuelo cuenta esa historia es que le da vergüenza no haber contribuido diez centavos para el pedestal.

Niño Monaghan: ¿De veras?

George: Sí, así es.

Niño Monaghan: Bueno, puedes decirle a tu padre que si se mata mañana no venga a decirle a mi abuelo que no se lo advirtió.

Jack: Oye, George, ¿te parece que puedo ir con ustedes?

George: Le preguntaré, tal vez...

Niño Monaghan: ¿Estás loco, Jack?

Mike: George, pregúntale si yo también puedo ir.

Niño Monaghan: ¿Mike, qué te pasa?

Joe: Yo también, George. Le pediré el dinero a mi madre.

Niño Monaghan: ¡Joe! ¿No escuchaste lo que dijo mi abuelo?

Joe: Sí... pero ya no me lo creo.

Niño Monaghan: No seas...

Mike: Yo tampoco.

Jack: Creo que tu abuelo no sabe lo que dice.

Niño Monaghan: ¿Con qué no sabe? (*a punto de llorar*). Está bien, está bien. (*gritando*) ¡Ojalá que el viento mañana sople como nunca! ¡Como nunca!

(*Música sube y baja*).

(*Crujir de una silla*).

¿Abuelo?

Monaghan: ¿Sí?

Niño Monaghan: ¿Puedes parar de mecerte un momento?

(*la silla se detiene*).

¿Puedes dejar tu periódico un momento?

(*Ruido de papel*).

Escuché el pronóstico del tiempo para mañana.

Monaghan: El pronóstico del tiempo...

Niño Monaghan: Sí. Dice agradable y fresco.

Monaghan: ¿Y eso qué?

Niño Monaghan: Estaba pensando. ¿Qué te parece si mañana vamos a dar un paseo en barco? Veo el agua todos los días cuando voy a los muelles a jugar, pero nunca estuve sobre el agua. Quiero decir, en un barco.

Monaghan: Bueno, tal vez podemos tomar la lancha en Jersey. ¿Por qué no?

Niño Monaghan: Sí, pero en Jersey no hay nada para ver.

Monaghan: No podemos ir a Europa mañana.

Niño Monaghan: No, pero podemos ir hacia el océano. Simplemente hacia el océano.

Monaghan: Hacia el océano. ¿Qué tienes en la cabeza niño? ¿Qué te pasa ahora?

Niño Monaghan: Bueno, yo...

Monaghan: Oh, quieres tomar la lancha a Staten Island. Seguro, eso está en camino al océano.

Niño Monaghan: No, abuelo, la lancha de Staten Island, no.

Monaghan: No querrás decir — (*pausa*). ¡Niño!

Niño Monaghan: Todos los niños van mañana con el padre de George.

Monaghan: Ya no me crees.

Niño Monaghan: No es eso abuelo, pero...

Monaghan: No me crees. ¡Si me creyeras lo último que harías es acercarte a la Estatua de la Libertad!

Niño Monaghan: ¿Pero abuelo, cuándo se va a caer? No hago más que esperar y esperar.

Monaghan: (*no muy convencido*). Hay que tener fe.

Niño Monaghan: Pero es que todos los niños de mi clase han ido, y los que faltaban van mañana. Y todos tienen algo que contar mientras yo...no puedo seguir diciendo que es una estafa. Realmente me gustaría ir, abuelo. No es muy caro.

Monaghan: Bueno, la verdad es que debo confesar que a mí también me da curiosidad cómo logró mantenerse en pie por tanto tiempo. Está bien, iremos mañana salvo que haga viento.

Niño Monaghan: ¡Oh, abuelo!

Monaghan: Pero si alguien te pregunta dónde fuiste di — Staten Island. ¿De acuerdo?

Niño Monaghan: Seguro. Staten Island.

Monaghan: (*En tono secreto*). Mañana tomaremos el primer bote. Pero ni una palabra. Porque si el viejo Sheean se entera de que fui, ese ladrón no me dejará en paz por el resto de mi vida.

(*Música sube y baja*).

(*Silbato del barco*).

Niño Monaghan: Es divertido andar en barco, ¿no es cierto, abuelo?

Monaghan: Nunca dije nada en contra de los barcos. El barco está bien: ¿Estás seguro que el padre de George viene con los chicos por la tarde?

Niño Monaghan: Sí, van por la tarde. Mira esas gaviotas. ¡Mira como se lanzan al agua! ¡Agarraron un pescado!

Monaghan: Lo que no entiendo es por qué la estatua atrae a tanta gente. Los botes van llenos todos los años. Si uno hace caso a los periódicos, declararíamos la guerra al otro día al país que se robe la estatua. Y simplemente es un gran montón de cobre francés.

Niño Monaghan: La maestra dice que representa la libertad.

Monaghan: ¡Bah! Si uno es libre, no necesita una estatua que se lo diga; y si uno no tiene libertad, de nada sirve que una estatua te diga que la tienes. Fue un gran desperdicio del dinero del pueblo (*En voz baja*). Y simplemente para probártelo le preguntaré a ese hombre que está sentado allí qué opina. Verás que todo fue una locura. ¿Me permite, señor?

Alf: ¿Sí?

Monaghan: Discúlpeme usted. No soy de aquí y tengo curiosidad. ¿Me podría decir por qué visita la Estatua de la libertad?

Alf: ¿Yo? Bueno, le diré. Siempre tuve ganas de hacer un viaje por el océano. Este es un barco bastante grande — más grande que las lanchas — por eso, los domingos, a veces hago el viaje. Es mejor que nada.

Monaghan: Gracias. (*Al niño*). No nos ha dicho sobre el gran significado de la estatua. Hablemos con esa señora apoyada contra la baranda. Sólo quiero que entiendas por qué no le di los diez centavos a Sheean. Señora, me permite...discuple (*al niño*) mejor preguntamos a otro, ella no tiene muy buen aspecto. Preguntémosle a esa joven. Señorita, si me permite satisfacer la curiosidad de un viejo... ¿me podría decir en pocas palabras por qué visita la estatua?

Una Joven: ¿Qué estatua?

Monaghan: La Estatua de la Libertad. Estamos por llegar.

Una Joven: ¡La Estatua de la Libertad! ¿Es este el barco de la Estatua de la Libertad?

Monaghan: Sí, ¿qué pensaba que era?

Una Joven: ¡Oh! ¡Debería de estar en la lancha de Staten Island! ¿Dónde está el boletero? (*alejándose*). ¡Boletero! ¿Dónde está el boletero?

Niño Monaghan: Parece que nadie quiere ver la estatua.

Monaghan: Simplemente para probarlo, hablemos con ese joven sentado en el banco... discuple señor...

Un Joven: Se lo puedo decir en una sola palabra. Hace cuatro días que no tengo un minuto de paz. Mis niños lloran, mi mujer grita y en el piso de arriba no paran de tocar el piano. El único lugar tranquilo es la estatua. La estatua es mi enamorada. Todos los domingos me escapo a la isla y me siento a su lado, y ella no habla.

Niño Monaghan: Parece que tenías razón abuelo. Nadie parece encontrarle significado.

Monaghan: No sólo no significa nada, sino que si hubieran usado el dinero para construir un hospedaje[3] en la isla, los inmigrantes tendrían dónde pasar la noche, no les robarían sus maletas, y...

---

3. hospedaje: albergue

VOZ POR EL ALTOPARLANTE: Quédense sentados mientras el bote atraca. ¡La Estatua de la Libertad! A desembarcar en cinco minutos.

NIÑO MONAGHAN: ¡Mira allí abuelo! ¡Hay un puesto de maníes! ¿Puedo comprar?

MONAGHAN: Me parece que se está levantando el viento. No sé si tendremos tiempo.

(*Música sube y baja*).

NIÑO MONAGHAN: ¡Sssseuuuuww! ¡Mira hasta dónde se ve! ¡Mira ese barco que navega allá lejos por el océano!

MONAGHAN: Sí, es tremenda vista. No me sueltes la mano.

NIÑO MONAGHAN: Te apuesto a que casi se ve hasta California.

MONAGHAN: Seguramente son esos árboles allá a lo lejos. Dicen que está más allá de Jersey.

NIÑO MONAGHAN: Qué sensación tan rara, estamos parados dentro de su cabeza. ¿Es eso a lo que tú te referías? Julio IV, MCD...

MONAGHAN: Eso es. La libreta en su mano. ¿No te parece que tendrían que haber puesto "Sean todos bienvenidos" en vez de algo en un idioma extranjero? ¡Sientes cómo se mueve!

NIÑO MONAGHAN: Sí, se mueve un poquito. ¡Escucha el viento!

(*Viento*).

MONAGHAN: Mejor bajemos. Es por aquí.

NIÑO MONAGHAN: No, las escaleras están por aquí. ¡Vamos!

(*Eco de pies corriendo. Luego paran*).

MONAGHAN: ¡Te dije que era por el otro lado! ¡Ven!

VETERANO: (*Con voz calmada y suave*). No tengan miedo. No se va a caer.

MONAGHAN: Se mueve muchísimo.

VETERANO: Está bien. Yo he venido aquí treinta o cuarenta veces. Se balancea con el viento. Disfruten de la vista.

MONAGHAN: ¿Ha estado aquí cuarenta veces?

VETERANO: Más o menos.

MONAGHAN: ¿Por qué la encuentra tan interesante?

VETERANO: Me tranquiliza.

MONAGHAN: A mí me parece que me pondría nervioso.

VETERANO: A mí no. Para mí tiene un significado especial.

MONAGHAN: ¿Le molesta si le pregunto cuál es?

VETERANO: Bueno... yo estuve en la Guerra de las Filipinas en el noventa y ocho. Mi hermano murió allí.

MONAGHAN: Oh, lo siento. ¿Un hombre joven, supongo?

VETERANO: Sí, los dos éramos jóvenes. Hoy es su cumpleaños.

MONAGHAN: Entiendo.

VETERANO: Esta estatua es la única lápida que tiene. Al menos así lo siento yo. En cierta forma, esta estatua representa lo que nosotros creemos. ¿Entiende lo que quiero decir?

MONAGHAN: Representa lo que nosotros creemos... nunca lo pensé de esa manera...Pero en realidad sí, lo entiendo. (*Enojado*). ¿Vez, niño? Si Sheean me hubiera dicho eso, le hubiera dado los diez centavos. (*Ofendido*). ¿Por qué no me habrá dicho eso? Bajemos. Lo siento señor, nos tenemos que ir.

(*Música, sube y baja*).

(*Pasos abajo*).

Apúrate, quiero salir de aquí. Me siento muy mal. Ese idiota de Sheean. ¿Por qué no me dijo eso? Uno pensaría que...

NIÑO MONAGHAN: ¿Qué dice aquí?

(*Se detienen los pasos*).

MONAGHAN: Supongo que es simplemente una tarja[4]. Espera un minuto que me pongo las gafas. Parece que es un poema... "¡Dadme tus masas cansadas, pobres, apiñadas, ansiosas por respirar el aire de la libertad; los rechazados. Enviadme a los desamparados, los azotados por la tempestad..., yo, vida... mi lámpara a mi lado... la puerta dorada!" Oh, Dios mío. (*Casi llorando*). Tenía una

4. tarja: chapa o placa de metal conmemorativa o explicativa

bienvenida todo este tiempo. ¿Por qué no me lo dijo Sheean? ¡Le hubiera dado venticinco centavos! Niño... toma cinco centavos y cómprate una bolsa de maníes.

Niño Monaghan: (*Sorprendido*). ¡Abuelo!

Monaghan: Ve, hijo. Quiero leer esto un minuto. Y asegúrate que el hombre te dé todos los maníes que te corresponden.

Niño Monaghan: Vuelvo enseguida.

(*Pasos que se alejan corriendo*).

Monaghan: (*a sí mismo*). "Dadme tus masas, cansadas, pobres, apiñadas..."

(Aumenta la música, luego vuelve como fondo)

Joven Monaghan: (*soldado*). Corrí a comprar mis maníes, y mientras los comía miraba a mi alrededor. Miré a mi abuelo. Estaba leyendo la tarja de bronce. Luego se puso la mano en el bolsillo y miró a su alrededor por encima de las gafas para ver si alguien lo estaba mirando, sacó una moneda y la puso en una grieta en el cemento sobre la tabla (La moneda cae sobre el cemento).

La moneda se cayó y antes de que la pudiera recoger alcancé a verla. Era medio dólar. La levantó y la volvió a poner en la grieta. Luego se acercó a mí y volvimos a casa.

(*Música: cambiar a un tema más fuerte e intenso*).

Por eso, cuando la miro desde la ventana, me acuerdo de esa época y de ese poema, y realmente parece decir, no importa quiénes sean, de dónde vengan; sean todos bienvenidos; sean todos bienvenidos a casa.

(*Música: levantar antes del final*).

Responde

¿Cómo le aconsejarías a Sheean que trate de convencer al abuelo que done dinero para la construcción del pedestal de la Estatua de la libertad?

Welcome Christian Montone *Staten Island Art Lab*

Arthur Miller

P: ¿Qué hizo antes de ser dramaturgo?

R: Trabajó por dos años en un almacén, en su ciudad natal de Nueva York y después fue a la Universidad de Michigan. También trabajó en la base naval de Brooklyn y en una fábrica de cajas.

P: ¿Cuáles fueron sus primeras obras de Broadway que tuvieron éxito?

R: Ganó el premio de los "Críticos de Drama" por *Todos mis hijos* (1947) y el "Premio Pulitzer" por *La muerte de un vendedor*.

El burro del carpintero

Gloria Fuertes

No quiere comer viruta[1]
el burro del carpintero;
se está quedando delgado
y rebuzna lastimero.

No tiene trabajo
el pobre carpintero.
Ha vendido la sierra,
la lima y el plumero.

Subido en el burrito,
trotando en el sendero,
llegaron hasta el bosque
en busca de alimento.

La ardilla se asomaba,
mirando por el hueco,
y el búho les decía:
"¡Aquí estaréis contentos!"

El amo come nueces;
el burro, tronchos[2] tiernos;
y, ya todo arreglado,
aquí termina el cuento.

1. **viruta:** lámina fina que se saca de la madera al cepillarla

2. **tronchos:** tallo carnoso de las hortalizas

Responde

En tu opinión, ¿de qué depende la felicidad?

Palabras básicas

rebuzna: sonido que hace el burro al quejarse
plumero: conjunto de plumas que se utiliza para limpiar el polvo

Gloria Fuertes es una poeta española que ha publicado más de quince colecciones de poemas. Ha gozado de fama en España y en América Latina durante las últimas tres décadas. Ha recibido varios premios literarios importantes como el "Premio Andersen de Literatura juvenil". La vida y las experiencias de Fuertes agregan una dimensión muy personal a su poesía.

Actividades
Descubre el sentido

Analiza la lectura

Recuerda

1. Después de leer *El abuelo y la estatua*, indica tres acontecimientos que ocurren en el presente. Luego, indica tres que ocurrieron en el pasado, o sea, cuando la obra se remonta a la niñez de Monaghan.
2. En *El burro del carpintero*, ¿qué es lo que no quiere comer el burro?

Interpreta

3. ¿Qué problema le causa al nieto—Monaghan, niño—la decisión de su abuelo sobre la Estatua de la Libertad?
4. ¿Qué hace el niño Monaghan para resolver su problema? ¿Cómo influye su decisión en la forma de pensar del abuelo?
5. En *El burro del carpintero*, ¿qué ocurre para que el burro y el carpintero se sientan seguros?

Avanza más

6. Si pudieras llevar al abuelo a otro monumento, ¿a cuál sería? ¿Por qué?
7. ¿Qué mensaje tienen en común los dos textos que has leído?

Para leer mejor

Cómo examinar el conflicto en una obra dramática

Sin el **conflicto**, o problema, la acción en una obra dramática no adelantaría. Usualmente, en una dramatización radial, como lo fue originalmente *El abuelo y la estatua*, el **conflicto** se revela mediante el diálogo.

Los personajes necesitan un motivo para lo que dicen y hacen. El **conflicto** o problema que se debe resolver puede revelar esos motivos. En una obra dramática, al igual que en otras obras literarias, el problema va en aumento hasta que la historia llega a un clímax—el momento más tenso. Entonces, algo ocurre, y se resuelve el **conflicto**. Luego, la acción se desarrolla rápidamente hasta el final. Lee los apuntes que hiciste en la tabla.

1. En una o dos oraciones, describe el conflicto de la obra dramática.
2. Describe las palabras o las acciones de algún personaje que contribuyó al conflicto. Explica cómo sus acciones acrecentaron el problema. Entonces, describe el momento en que el conflicto se resolvió.
3. Discute la resolución rápida del problema en *El burro del carpintero*. ¿Qué pensaste cuando se resolvió?

Ideas para escribir

Imagínate que es el año 1887 y estás presente en la inauguración de la Estatua de la Libertad.

Invitación Escribe una invitación a la inauguración de la Estatua. Describe algunas de las diversiones que habrá.

Diario Escribe una nota en tu diario, desde el punto de vista del abuelo o del niño Monaghan, antes de visitar la Estatua de la Libertad y otra después de la visita. Expresa, en primera persona lo que piensa y siente el personaje que escogiste.

Ideas para proyectos

Maqueta Utiliza una caja con sólo tres lados y otros materiales para hacer una maqueta o escena tridimensional, que muestre al carpintero montado en el burro, y al búho que les está hablando.

Folleto Escribe un folleto sobre la Estatua de la Libertad para informar a los visitantes sobre este parque nacional. Incluye, además de otros datos importantes, las dimensiones de la estatua, el número de escalones que tiene y el tiempo que toma subir hasta la cima.

¿Estoy progresando? Discute lo siguiente con un compañero.

¿Entendí mejor la obra de teatro después que logré identificar el conflicto? ¿Por qué?

¿Cómo puedo aplicar la misma técnica al leer otras obras teatrales u otro tipo de literatura?

Conflicto y resolución

Los proyectos........................

Los textos de esta unidad exploran lo siguiente: ¿Cuáles son las causas de los conflictos? ¿Qué podemos aprender de un conflicto? ¿Cómo se resuelve un conflicto? Con un compañero de clase o un grupo pequeño, haz una o dos de las actividades siguientes:

Álbum sobre la cooperación En algunas de los textos que has leído, los conflictos se resolvieron cuando la gente o los animales aprendieron a cooperar entre sí. Haz un álbum con fotos, titulares de periódicos, entrevistas y artículos acerca de cómo trabajan cooperativamente diferentes grupos para resolver sus conflictos.

Entrevista con un conciliador ¿Hay una persona en tu escuela o en tu comunidad que ayuda a resolver conflictos? Puedes escoger a un profesional, por ejemplo, el consejero de la escuela, o a alguien que conozcas: un abuelo o un vecino que sepa resolver disputas. Prepara cinco preguntas sobre los pasos que toma esta persona para ayudar a los demás a resolver conflictos. Entrevista a dicha persona y escribe sus respuestas o graba la entrevista en cassette o video. Comparte la entrevista con la clase.

Ensayo fotográfico Con un grupo, recorta fotos de periódicos o revistas que muestren algo sobre la resolución de conflictos locales, nacionales o internacionales. Escribe un ensayo para acompañar las fotos. Describe los conflictos y las resoluciones ilustrados en las fotos. Exhíbelo en el salón de clase.

Cuentos del hierbazal
de Gilberto Rendón Ortiz

Unos pequeños insectos enfrentan conflictos muy parecidos a los de la gente.

Los cuentos de mi abuelo
de Benur Sánchez Suárez

El abuelo da lecciones de historia a través de las experiencias de héroes como Simón Bolívar, George Washington, José Martí y otros.

Nuncajamás
de Adela Turin y Letizia Galli
(traducción de la versión al italiano, "Maiepoimai")

Cuando Milena pierde su anillo de compromiso, se desata una cadena de conflictos que se resuelven por una serie de acontecimientos en un ambiente de cuento de hadas moderno.

Introducción

El mundo de la imaginación

Gatescape Joseph Reboli *Gallery Henoch, New York, New York*

¡Entérate!

Las imágenes que ves en el cuadro representan el concepto que tiene un artista sobre la imaginación. Cuando piensas en cómo la imaginación amplía tus horizontes y te inspira, es posible que te hagas preguntas como éstas: ¿Adónde me lleva la imaginación? ¿Cómo realizamos nuestros sueños? y ¿Qué pasaría si todo lo que uno piensa fuera posible?

Mientras vas leyendo las selecciones de este capítulo, apunta en tu diario las ideas que se te ocurren y formula preguntas sobre lo leído y aprendido.

Actividades

En grupo Con un grupo de compañeros, haz un mural que demuestre tus ideas sobre lo que se puede lograr con la imaginación. Utiliza fotos, dibujos y palabras recortadas de revistas, además de tu propio arte y citas que hayas recopilado.

Actividades

Por tu cuenta Dobla una hoja de papel en cuatro partes iguales. En las cuatro secciones, haz dibujos o apuntes sobre un animal o planta imaginaria, sobre cómo funciona una máquina imaginaria, sobre una ciudad imaginaria del futuro y sobre una figura histórica o ficticia a quien te gustaría conocer.

Menú de proyectos

De los siguientes proyectos, escoge el que más te interese. Hay más detalles en la página 146.

- **Explicaciones**
- **Cartel de la imaginación**
- **Programa de radio**

Actividades

Presentación

Las cosas de Gloria Fuertes
Ventanas pintadas de Gloria Fuertes
Marina y la lluvia de Laura Devetach

¿Qué se puede inventar con la imaginación?

Aplica lo que sabes

No siempre la gente se expresa de forma directa. A veces, hay que "leer entre líneas". Por ejemplo, cuando alguien dice, "Está bien, iré contigo", puedes captar que no tiene el mismo entusiasmo de la persona que dice, "¡Qué bueno! Espera que me ponga el abrigo." Para saber con qué facilidad lees entre líneas, haz uno o ambos de los siguientes ejercicios:

- Con un compañero, altérnense para describir un personaje imaginario: una vez como si lo admiraran y otra como si no les cayera bien.
- Discute con un compañero cómo pueden darse cuenta de lo que alguien está sintiendo aunque no lo diga directamente.

Lee activamente

Cómo identificar la actitud del narrador(a)

"Leer entre líneas" es lo mismo que **sacar conclusiones**. A menudo, cuando lees una obra literaria, tienes que sacar tus propias conclusiones porque el escritor(a) sugiere, en vez de decir directamente, lo que quiere decir. El narrador no acostumbra decir: "Me gusta el tema sobre el cual escribo". El lector saca conclusiones sobre la actitud del autor, o sea, lo que siente por el tema que trata en un cuento o poema, por lo que hace o dice. Derivar conclusiones sobre la actitud del narrador da un mayor signficado a la lectura y enriquece tu apreciación de la misma.

Mientras lees las selecciones, busca pistas que te ayudarán a llegar a conclusiones sobre las actitudes de sus narradores y anótalas en una tabla.

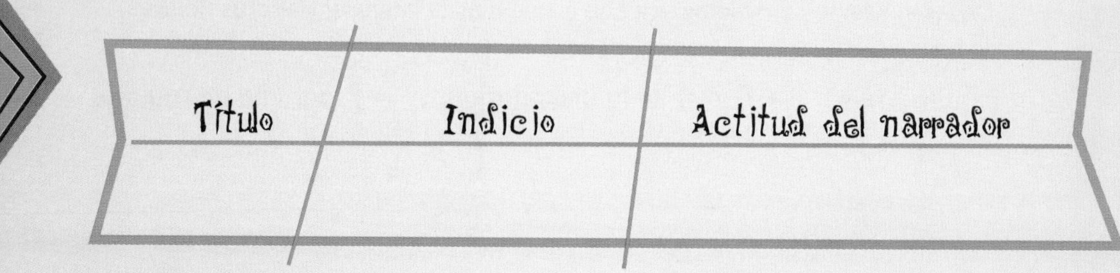

Título	Indicio	Actitud del narrador

Las cosas

Gloria Fuertes

Las cosas, nuestras cosas,
las gusta que las quieran;
a mi mesa la[1] gusta que yo apoye los codos,
a la silla la gusta que me siente en la silla,
5 a la puerta la gusta que la abra y la cierre
como al vino le gusta que lo compre y lo beba,
mi lápiz se deshace si lo cojo y escribo,
mi armario se estremece si lo abro y me asomo,
las sábanas, son sábanas cuando me echo sobre ellas
10 y la cama se queja cuando yo me levanto.

¿Qué será de las cosas cuando el hombre se acabe?
Como perros, las cosas no existen sin el amo.

---

1. **la:** normalmente se usa el pronombre *le* con *gustar*, pero en Castilla, la región central de España, es típico el *laísmo* o el uso de *la*.

Palabras básicas

se deshace: se destruye
se estremece: tiembla, se conmueve

Responde

¿Crees que los objetos que te pertenecen quieren que los quieras? Explica.

Gloria Fuertes nació en 1918 en Madrid, España. Escribe poemas no solamente para niños, sino también para adultos. Lo que más distingue a su poesía es su voz familiar, compasiva y personal.

Gloria Fuertes

Vivía en una casa
con dos ventanas de verdad y las otras dos pintadas en la fachada.
Aquellas ventanas pintadas fueron mi primer dolor.
Palpaba las paredes del pasillo,
5 intentando encontrar las ventanas por dentro.
Toda mi infancia la pasé con el deseo
de asomarme para ver lo que se veía
desde aquellas ventanas que no existieron.

Palabras básicas

fachada: lado visible del exterior de un edificio
palpaba: tocaba algo con las manos para reconocerlo

Responde

¿Has querido, alguna vez, asomarte por una ventana o atravesar el umbral de una puerta imaginarias? Explica.

Gloria Fuertes, poeta española, trata temas muy cotidianos, como los recuerdos, en muchos de sus poemas.

Marina y la lluvia

Laura Devetach

Marina tenía unos ojos muy redondos y mil ganas de verlo todo. Se pasaba el día escuchando, oliendo, probando y frunciendo las cejas —eso la hacía pensar "más fuerte"— y preguntando cosas: "¿Cómo fue la primera, primera, pero primera vaca? ¿Quién puso el primer huevo del que nació la primera gallina? ¿Los pescados son picantes?... ¿Dónde tienen el pico para picar?"

Además de preguntar, a Marina le gustaba investigar cosas. Ya sabía que el paraíso tiene gusto amarguísimo y que la flor de la verbena es dulce. Que las tortitas de barro se rajan cuando se meten al horno. Que si uno toma mucha miel con agua puede pasarse bastante tiempo en el baño. Pero Marina tenía un problema: la lluvia.

Apenas se nublaba, apenas el viento traía un poco de olor a tierra mojada, apenas caían cuatro gotas, mamá decretaba:

Palabras básicas

verbena: planta medicinal
decretaba: disponía u ordenaba algo

"Llueve". Y se acababan todos los planes que tuvieran que ver con asomar la nariz. Si pensaba ir al cine, "No, al cine no, porque llueve". "Pero el cine tiene techo", decía Marina. "Pero llueve", decía mamá. "Nos ponemos el impermeable". "¡No, con esta lluvia!".

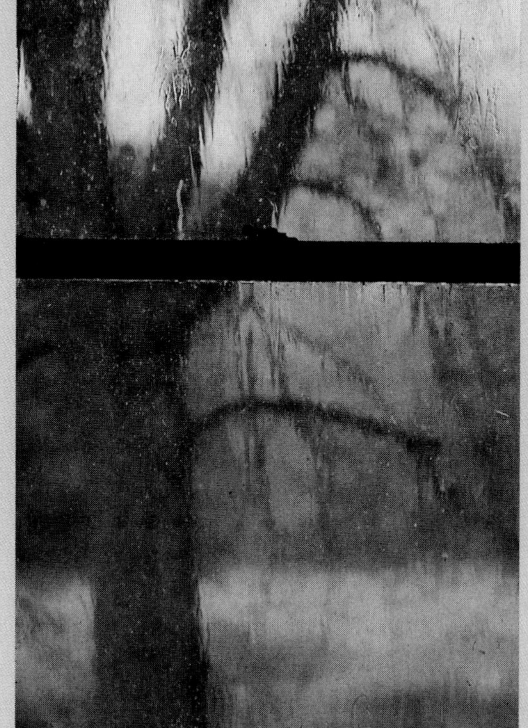

Y mamá se quedaba mirando las gotas detrás de la ventana y entonces Marina sentía que no había en el mundo ni impermeable, ni botas, ni paraguas que a una la consolaran de la lluvia.

Durante una de las tantas lluvias, Marina le dijo a mamá: "Yo no soy de azúcar, quiero salir a mojarme un poco". "No", dijo mamá con tono de no-y-no. "No se sale cuando llueve". "¿Pero qué pasa cuando llueve? ¿De qué es la lluvia?", rezongó Marina. "No" repitió mamá. "Uno no sabe lo que puede pasar".

Y Marina empezó a imaginarse catástrofes bajo la lluvia: se veía derritiéndose. Empezaba por los pies y se iba quedando chiquita, chiquita, como los bastones que siempre se gastan por abajo. No, mejor se herrumbraba y se ponía marrón y con gusto a hierro como la bici cuando quedó afuera. No, mejor, el agua le llevaba su pelo tan lindo y quedaba pelada como un huevo. O empezaba a cambiar de color, a cambiar de color, hasta quedarse transparente. Se podía mirar a través de ella como si fuera un vidrio. Después, se imaginó chapoteando en la zanja y a mamá, chapoteando con ella. Y le hacía barcos con una hoja de papel y se le mojaba y hacía otro y se le mojaba y hacía otro y otro doblando hojas de diario. "Mamá, ¿nunca te metiste en la zanja como Raúl y los chicos de enfrente?" "No, Marina", dijo mamá. "A mí no me dejaban. Cuando llueve, no se sale".

Un día llegó la tía Flora y con ella una lluvia de verano de esas que lo lavan todo y dejan las zanjas como para llenarlas de barcos. Y quiso hacer tortas fritas pero no encontraba la harina, y mamá no estaba.

Palabras básicas

rezongó: gruñó, refunfuñó a lo que se manda o propone
herrumbraba: se oxidaba como el hierro
chapoteando: haciendo ruido en el agua con los pies o las manos

Todo fue perfecto. En un tris,[1] con una gran bolsa de nailon como capa y la plata bien apretada para que no se perdiera, Marina corrió al almacén. Como una ráfaga trajo la harina y volvió a salir corriendo. Tía Flora tenía una extraña sonrisa de día de lluvia.

Marina se hundió en la zanja hasta las rodillas. El barro del fondo se le metía entre los dedos de los pies y todo era raro y fresco, impresionante y divertido. La lluvia caía como un río sobre la cara de Marina, se deslizaba por la espalda, se había metido en su boca y Marina le había encontrado un lejano gusto a estrellas. Eso le recordó que tenía hambre y un poco de frío y que en casa las tortas se doraban como soles. Pero antes de volver, hizo un cucurucho con un papelito de cigarillos y lo llenó de lluvia.

Entró a casa con paso de procesión, para no volcar el agua del cucurucho y en puntas de pie para no enchastrar el piso. Tía Flora sacaba soles de la sartén y mamá, que estaba de regreso, preparaba el mate... y miraba a Marina de reojo. "Mamá... ¡mirá, mirá! ¡La lluvia es sólo agua!", dijo Marina y le extendió el cucurucho. Mamá lo recibió como si fuera una flor, sin saber dónde ponerlo, porque... ¿cuál es el lugar de los cucuruchos llenos de lluvia?

De pronto, lo dejó sobre la mesa y dijo: "Vamos". Sus zapatos quedaron junto al mate a medio cebar.

Cuando la tía Flora se asomó, Marina y mamá chapoteaban en la zanja. Al frente, Raúl y sus cinco hermanos hacían navegar ramitas. Había dejado de llover y todo el barrio se asomaba, chapoteaba, saludaba y esponjaba las plumas como los pájaros.

"La lluvia es sólo agua", dijo mamá riendo. "Sí", dijo Marina. "Hay que publicarlo en todos los diarios"...

1. **En un tris:** rápidamente

Palabras básicas

cucurucho: papel enrollado en forma de cono
enchastrar: ensuciar, embarrar

P: ¿Qué tipo de literatura escribe **Laura Devetach**?
R: Escribe poesía, narraciones, ensayos y cuentos. También es periodista.
P: ¿Ha ganado premios literarios?
R: En 1957, su colección de cuentos, *Monigote en la arena* mereció el "Premio Casa de las Américas."

Responde

¿Cómo te sientes cuando tu mamá, tu papá u otro adulto te cuida "demasiado"?

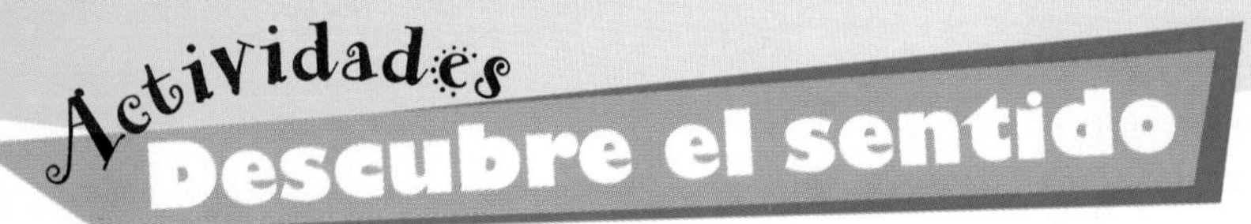

Actividades: Descubre el sentido

Analiza la lectura

Recuerda

1. ¿En *Las cosas*, qué les gusta a las varias cosas?
2. Describe las ventanas de *Ventanas pintadas*.
3. En *Marina y la lluvia*, ¿qué le dice la mamá a Marina si quiere salir cuando llueve?

Interpreta

4. En *Las cosas*, ¿qué expresa la narradora cuando dice: "Como perros, las cosas no existen sin sus amos"?
5. ¿Qué quiere decir la autora de *Ventanas pintadas* cuando dice: "Aquellas ventanas pintadas fueron mi primer dolor"?
6. En *Marina y la lluvia*, ¿de qué se da cuenta la mamá cuando Marina dice que "la lluvia es sólo agua"?

Avanza más

7. Según lo que has leído en los poemas y el cuento, ¿a dónde te podría llevar la imaginación?

Para leer mejor

Cómo apreciar el tono

Al llegar a conclusiones sobre la actitud del narrador, se amplió tu apreciación de los textos. **El tono** del texto es la actitud del narrador hacia el tema. **El tono** se descubre en lo que se dice, en las palabras que se usan y en el estilo, ya sea formal o informal, en que se dicen. Recuerda tus conclusiones sobre la actitud del narrador en cada una de las selecciones que has leído.

1. ¿Qué actitud asume el narrador hacia las cosas en *Las cosas*? ¿Cómo llegaste a esa conclusión?
2. ¿Qué palabra utilizarías para describir el tono de *Ventanas pintadas*?
3. ¿Cuál es la actitud del narrador hacia Marina, en *Marina y la lluvia*?

Ideas para escribir

Con estas lecturas, aprendimos que se puede escribir sobre temas sencillos de una manera interesante que estimule al pensamiento.

Biografía Escribe una biografía breve de Marina. Incluye fecha y lugar de su nacimiento, algunos acontecimientos importantes de su vida y algunos sucesos que demuestren su carácter.

Diálogo imaginario Escribe un diálogo imaginario entre algunos de los objetos que Gloria Fuertes nombra en el poema *Las cosas*. Por ejemplo, un diálogo entre la cama y las sábanas o la mesa y el vino.

Ideas para proyectos

Títeres Basándote en *Marina y la lluvia*, prepara una representación de títeres para niños pequeños. Colabora con un compañero, en la elaboración del diálogo de los personajes y la escenografía. Utiliza pelotas de tenis para hacer las cabezas de los títeres. Haz un hueco en la parte de abajo de cada uno, para acomodar los dedos, y usa un calcetín o un trapo para hacer el cuerpo.

Colección de poemas Busca en la biblioteca o en algún otro lugar, poemas en los cuales la imaginación convierte cosas cotidianas en algo muy especial. Haz una colección de los poemas que más te gusten. Compártela con la clase.

¿Estoy progresando? Toma unos minutos para contestar las siguientes preguntas:

¿Cómo logré identificar el tono de cada texto?

¿Cómo aumentó mi apreciación de otras obras cuando aprendí a reconocer el tono de las lecturas?

¿Cómo interpretas el mensaje?

Aplica lo que sabes

Con suerte, puedes aprender de los errores cometidos por otros. No tienen que ser personajes de la vida real; hasta los personajes de los cuentos de hadas, como los siete enanitos de *Blanca Nieves*, pueden enseñarnos sobre la bondad y la consideración. Con un grupo de compañeros, haz una o ambas de las siguientes actividades para revelar lo que se puede aprender de las experiencias ajenas:

- Prepara una representación teatral que ilustre la bondad, el egoísmo o la vanidad. Menciona cuentos que hayas leído que traten de esas cualidades.
- Haz una lista de los cuentos que hayas leído que contengan un mensaje o una moraleja.

Lee activamente

Cómo reconocer el tema

Cuando logras reconocer el mensaje de un cuento, has descubierto su **tema**, la idea que éste comunica sobre la gente o la vida, en general. Normalmente, el mensaje se revela mediante los actos y actitudes de los personajes y sus experiencias. Un cuento en el que se describen los deseos que se cumplen o se quedan sin cumplir nos dice que uno debe estar conforme con lo que tiene. Al reconocer el **tema**, comprenderás el significado de lo que lees.

Mientras vas leyendo *El pueblo dibujado*, piensa en las lecciones aprendidas por Laurita y los monigotes. Apunta tus ideas en un diagrama como el siguiente:

LAURITA

MONIGOTES

El pueblo dibujado

Laura Devetach

"Voy a hacer dibujos en la pared", dijo Laurita un día. Mamá y papá se habían ido a trabajar temprano y ella, como siempre, quedaba sola con Humo, su gato gris. ¡Qué lindo era hacer dibujos de colores! Pero Laurita no tenía con qué pintar.

Le gustaba sin embargo pensar en esos brillantes lápices de aceite que tenían algunos chicos.

"Parecen de caramelo", se dijo. "Me los comería".

Estaba segura de que el rojo tenía gusto a frutilla; el verde a menta; y el marrón a chocolate; y el amarillo a limón. ¿Y el negro? ¿Y el azul? ¿Qué gusto tendrían? Quizás a dulce de membrillo, o a Coca Cola. Pero ahora solamente tenía para hacer su dibujo un pedazo de tiza que encontró en la calle, un cascote rojo y un carbón. Cuando se quedaba sola, sobre todo en mañanas mojadas y solitarias como aquélla, hacía hermosos dibujos en una de las paredes de la cocina. Mamá se la había regalado para ella y sobre la pintura descascarada, vieja y llena de humo, desfilaban hermosos patos, trenes, barcos y monigotes.

"Hoy dibujaré un pueblo grande —se dijo alistando la tiza, el carbón y el cascote—. Pensaré los colores y listo... ¡Pobre mi pueblo! Sin colores, no puede ser lindo".

Afuera la lluvia cantaba. La niña la escuchó un rato y le dijo a Humo:

—Llueven pajaritos azules. A vos no te gustan ¿no? Ni los grillos de vidrio tampoco, ésos que gotean por los agujeros del techo. ¡Ay, Humo! ¿Por qué no te gustará el agua?

Mientras hablaba con el gato, su pueblo fue creciendo.

"Haré que llueva y en las zanjas flotarán barquitos de papel. Tirín tin tin, tolón tolón", cantaba, y el pueblo se ponía cada vez más hermoso.

Palabras básicas

frutilla: fresa
cascote: pedazo de yeso o piedra

"Te dibujaré sobre el techo, Humo, ¿sabes? Los techos son de color zanahoria; las paredes, marrones, amarillas y violetas. Vos imaginate, Humo."

Siguió hablándole al gato, que la miraba muy interesado. El cielo sería gris y los árboles de fresquísima menta, y también rojos y azules, y con manzanas redondas colgando de las ramas.

"Tirín tin tin, tolón ton ton."

La tiza y el carbón y el cascote ya estaban chiquitos. Iban y venían por las chimeneas, por las ventanitas, por las calles amplias y brillantes y de vez en cuando, hacían un toque en la nariz de Laurita.

"Ahora haré la lluvia".

Atravesó el pueblo con rayitas oblicuas como si fueran puntadas hechas con aguja. Listo. Su pueblo mojado ya estaba. Humo, con su aspecto de madeja escapada de cualquier chimenea, aprobaba ronroneando y guiñando sus ojos del color de la luz verde de los semáforos. Laurita le sentó en su regazo y entre los dos comieron el pan que mamá les dejara cortado sobre la mesa, y miraron el pueblo.

"Es lindo, ¿no, Humo? No tiene colores pero no cualquier pueblo tiene un gato como vos. Mirá[1] qué lindo estás en ese techo. Después, hay barquitos en las zanjas; y en las casitas, hay muñecos y armarios llenos de tortas, y abuelas, de esas dibujadas, que cuentan cuentos. Por allá, detrás de los árboles, hay una plaza con hamacas. No hay gente en la calle porque llueve. Los monigotes están adentro, no quieren mojarse".

Humo decía que sí, masticando cascaritas de pan.

Aquella noche, Laurita no podía dormir. Su cama estaba en la cocina, porque no había otra pieza en la casita. Pero ella estaba contenta porque Humo la acompañaba y estaba además, cerca de sus dibujos. Papá y mamá ya dormían. Ellos venían cansados de trabajar. Mamá sobre todo, estaba siempre muy ocupada.

"El dibujo está lindo —le había dicho esa tarde a Laurita—, pero no rayes tanto las paredes, hacelos[2] más chicos".

Laurita se entristeció; ¿rayas?, su pueblo no era un montón de rayas, ¡no señor!

"¿No es cierto Humo, que no? Es un pueblo precioso. Allí estás vos y allí viven los monigotes, en las casitas".

Mientras hablaba con su gato en medio de la oscuridad, con los ojos como dos lunas castañas, vio que una de las casitas de su pueblo estaba iluminada.

"¡Humo! ¿Ves lo que yo veo?"

El gato paró las orejas y empezó a husmear. La niña se acercó al dibujo y lo miró de cerca. No había duda. Alguien estaba dentro de la casita; y ese alguien barría. Laurita miró con la boca abierta. Una monigota muy graciosa y movediza, barría y

Palabras básicas

vos imaginate: mandato informal (*imagínate*) que se oye en partes de Latinoamérica
oblicuas: inclinadas; ni horizontales ni verticales
monigotes: muñecos o figuras grotescas hechos de trapo o de papel

1. mirá: mandato informal (*mira*) que se oye en partes de Latinoamérica

2. hacelos: mandato informal (*hazlos*) que se oye en partes de Latinoamérica

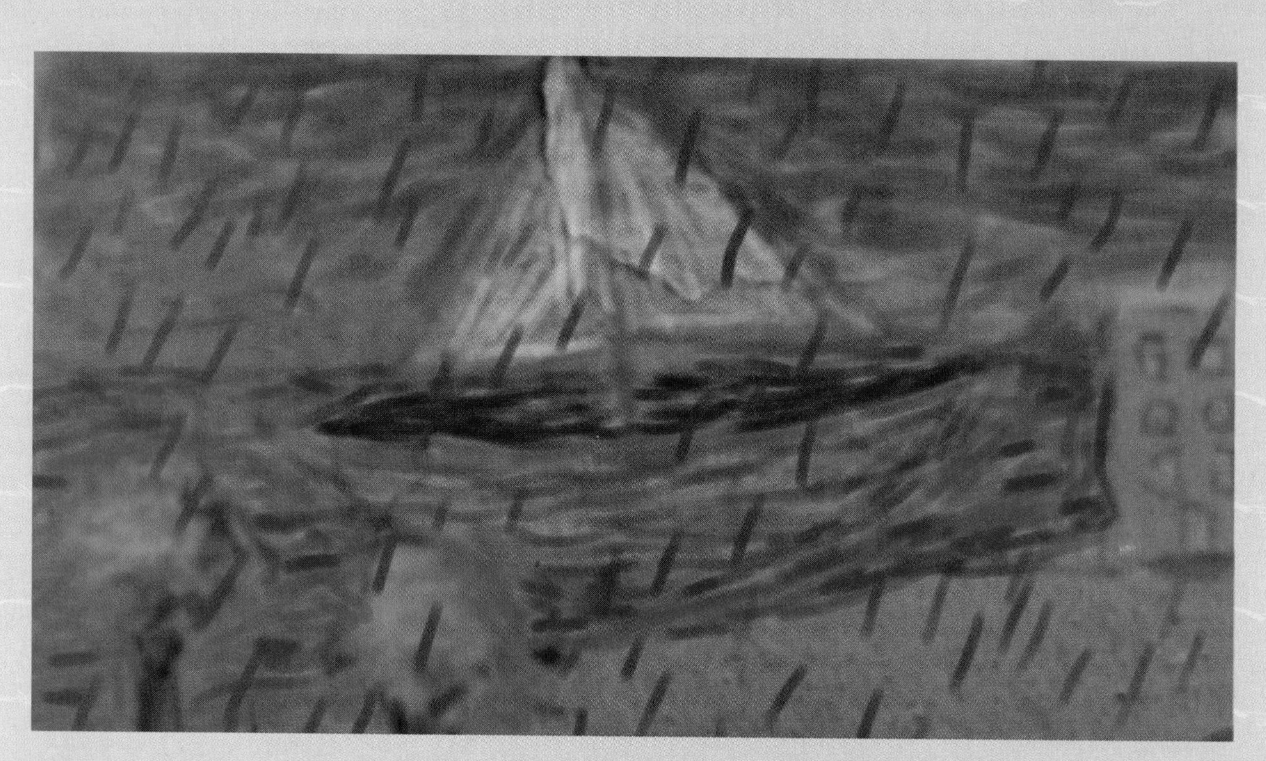

barría con cara de enojada. Tan rápido se movía, que a veces se enredaba en la escoba.

Con la punta del dedo índice Laurita golpeó la puerta dibujada. La monigota dejó de barrer y un monigote muy gordo, abrió con cara de pocos amigos.

—¡Zak zek zek crr crr crr crr! —le dijo.

Su voz era como la de un grillo. Sonaba como el salpicar de la lluvia en una vieja tinaja. Parecía muy enojado, y señalaba el cielo gris y el piso de la casita, sucio de barro.

—¡Grrr grrr grrr ñic ñoc ñic crr crr! —rezongaba.

La monigota salió detrás enarbolando la escoba y amenazando a Laurita. Ésta no pudo menos que reírse al verlos tan chiquitos y enojados.

—¿Qué les pasa? ¿Están enojados conmigo?

—¡Crr crr crr kij kij kij ñic ñoc!

—¡Brr uj uj! —dijeron los dos al mismo tiempo.

Ahora parecían un ejército de grillos y toda una gran lluvia cayendo en la tinaja.

Ante ese griterío, todas las casitas se fueron iluminando. El pueblo estaba precioso. Pero los monigotes no salían porque tenían miedo de mojarse. Todos estaban enojados y chirriaban desde sus puertitas y ventanas.

—¡Pobrecitos! ¡No pueden salir porque van a mojarse! ¡Claro, si yo hice un pueblo con lluvia!

—¡Crr trr brr brr! —gritaron todos.

—¿No pueden hablar como yo? ¿No saben decir "silla" y "mesa"?

—¡Trr! —dijeron los monigotes tristemente, sacudiendo las cabecitas.

—Bueno, no importa. Mañana yo voy a hacer que no sea así.

Los monigotes cerraron sus puertas y ventanas. Se apagaron las luces y Laurita y Humo, todavía asombrados, se quedaron soñando con monigotes negros de piernitas flacas.

A la mañana siguiente, Laurita dibujó con

carbón muchos paragüitas y botitas y los puso delante de las casas. También dibujó una gran caja de caramelos.

Ese día debía encargarse de preparar la sopa, y dejarla lista para cuando estuviera mamá. Iba a hacerla con fideos de letras, ¡qué lindos eran!

Mientras el caldo hervía haciendo hermosos dibujos de vapor, Laurita fue a buscar los fideos. Humo, como siempre, la acompañaba. Pero grande fue el asombro de los dos cuando vieron la lata destapada y oyeron ruidos adentro. Humo se puso muy serio, porque creyó que era un ratón. Despacito, Laurita se asomó a la lata y abrió mucho los ojos cuando vio a un monigote con paraguas y botas, muy atareado eligiendo letras.

—¡Eh! —dijo Laurita—, ¿qué hacés aquí?

El monigote siguió trabajando como si tal cosa. Elegía letras y las ponía en una bolsita azul.

—Monigote, ¿qué hacés? —insistió Laurita.

El muñequito le contestó con un gesto, y siguió sin preocuparse más ni de Laurita ni de Humo. Cuando terminó, arrastró con gran trabajo la bolsita y el paraguas hasta la mesa, y allí empezó a armar palabras: QUEREMOS MUCHAS LETRAS DE ÉSTAS, escribió primero. BASTA DE LLUVIA, puso después, y tomando su paraguas y su bolsa, saltó hacia el dibujo y desapareció en una de las casitas.

Laurita y Humo se miraban asombrados.

—¡Pobrecitos! —dijo la niña—. Los he condenado a vivir bajo la lluvia. La voy a borrar. Pero... decime Humo, ¿para qué quieren tantos fideos de letras?

Mientras pensaba, Laurita hizo la sopa y puso la mesa.

Cuando llegó mamá, todo estaba listo, pero la sopa tenía mucha sal y Laurita se había olvidado de comprar el pan.

—¿Qué son esos paraguas que hiciste en la pared? —preguntó papá, y se rio, porque en un día de lluvia todo el pueblo había dejado sus botas y sus paraguas afuera.

Laurita y Humo se hicieron los desentendidos.

—Papá —dijo Laurita—, ¿viven monigotes en los pueblos dibujados?

—Humm... eso depende de quién los dibuje. Si el que dibuja el pueblo lo quiere mucho, creo que sí.

—¿Qué harías vos para enseñarle a hablar a alguien que no habla nunca, a Humo, por ejemplo?

—Ah —dijo papá riendo—, lo mejor es la sopa de letras, tan rica como la hacés vos.

—¡Claro! —dijo Laurita, y siguió comiendo sin darse cuenta.

Aquella tarde, con un trapito mojado en saliva, borró la lluvia de su pueblo dibujado. Junto a los paragüitas y a las botas, que ya no servían para nada, hizo muchas bolsas pequeñas.

—Ya vas a ver —le dijo a Humo— cómo pronto esos monigotes tan cascarrabias[3] van a poder hablar.

El gato miró tranquilamente a su dueña y se enroscó sobre su silla, a esperar la noche.

Estaba oscuro. Papá y mamá jugaron un rato con Laurita antes de dormir. Papá, algunas noches, le contaba cosas que le daban tanta risa como si le estuvieran haciendo cosquillas.

Ya las respiraciones tranquilas subían y bajaban. El pueblito se iluminó y Laurita, de rodillas en la cama, esperaba. El monigote gordo abrió la puerta y empezó a levantar las bolsitas, ronroneando como Humo.

—¡Jrr jrr! —saludó a Laurita.

---

3. cascarrabias: que se enojan fácilmente

Ésta, despacito, fue hacia el estante de los tarros y sacó el de los fideos de letras. Lo destapó y lo puso sobre la cama. Una fila de monigotes preciosos, cada cual con su bolsita al hombro, saltó de la pared y empezaron a llenarlas muy ligero. Laurita los ayudó.

—Rrr trn jjjsss.

—Zz mbbb.

—Kll kll kll.

Era tan grande el ruido que hacían, que Laurita pensó en una invasión de moscardones y en el chirrido de muchas puertas sin aceite.

Con las bolsas repletas, los monigotes siempre en fila, se fueron hacia sus casitas, haciendo alegres saludos. Un monigote de pelo muy parado, como pinchos de una tuna, tiró de los bigotes a Humo y luego se fue riendo "¡crrrs crrrs crrrs!", como si triturase cascaritas de pan tostado entre los dientes.

Las puertitas se cerraron y Laurita, muy emocionada, se sentó a esperar acostando a Humo sobre sus pies, para que se los calentara.

De pronto, el monigote gordo que viera por primera vez, salió y empezó a hacer mil ademanes mientras chirriaba como loco. Se movía tan rápido que Laurita temió que se cayese de la pared. Señalaba la chimenea, juntaba las manitas como implorando, hacía como que revolvía un gran caldero, luego como que comía algo muy rico, y por fin señalaba nuevamente las chimeneas.

Laurita asintió suspirando. Luego de revolver los rincones negros, encontró un pedacito de carbón que había guardado, y de puntillas se acercó a la pared. Mordiéndose la lengüita para que le saliera mejor, dibujó una

hermosa espiral de humo en cada chimenea. Los monigotes ya tenían fuego.

—¡Bueno, Crr Crr, espero que estés conforme!

Saltando como una pelotita, el monigote le tiró un puñado de besos, y siempre corriendo enloquecido, se metió en la casa.

Laurita espió por la ventana. Había una olla muy grande en el fuego y los monigotes hacían una ronda bailoteando alrededor, mientras la olla cantaba un glu glu glu muy caliente. Todos estaban contentos y se movían tan ligero que Laurita se mareaba de mirarlos. La monigota más grande vació sus bolsitas de fideos en la olla y todos aplaudieron.

Luego se fueron acercando en fila a la olla, cada uno con su platito. La monigota servía riquísimas cucharadas de sopa de letras.

Laurita y Humo los veían comer, sentaditos alrededor de sus mesas, callados y juiciosos, a grandes cucharadas. De repente, un monigote tiró el plato vacío y salió corriendo hacia la puerta diciendo cosas que Laurita no lograba escuchar. Pero mamá monigota lo pilló del único tirador de su pantaloncito y recién después que hubo recogido el plato del suelo lo dejó salir.

—¡Pobre Crr Crr! —se rio Laurita—. ¡Qué enfurruñado está!

Se abrió la puerta y toda la fila de monigotes saltó hacia la cama de la niña. Uno se le paró en la cabeza, otro en la nariz, dos o tres cabalgaron en el hombro y dos monigotitos muy chiquitines se hamacaban colgados de los bigotes de Humo. ¡Qué zarpazos tiraba el gato!, pero pronto vio que no pasaba nada, así que se sentó muy serio sobre el regazo de Laurita y los dejó jugar en paz.

—¡Ahora podemos hablar! ¡Ahora podemos hablar! —gritaron todos con sus vocecitas de diez mil grillos.

—¡Lindo nos hiciste al principio! —gritó Crr Crr—, ¡hacernos vivir para siempre en un pueblo con lluvia!

—¡Me ensuciaban el piso con barro! —dijo la monigota—. Y no podíamos salir casi, por miedo a que la lluvia nos borrara.

—¡Pobrecitos! —se compadeció Laurita—. Es que... yo, claro, no sabía que estaban ustedes.

—Nosotros venimos de todas partes, de las paredes donde nos dibujaron muchos chicos. Teníamos frío, ¡y tu pueblo es tan hermoso!

Laurita se puso colorada.

—¡Es un pueblo estupendo, tra-la-la! —cantaron los monigotes de Humo—. Tiene barquitos en las zanjas, ¡y muchas tortitas en los armarios!

Todos hablaban a la vez. Mamá monigota cuidaba que los chicos no se pusieran los deditos en la nariz.

—¿Por qué hablaban de esa manera tan rara, Crr Crr?

—Porque los chicos que nos dibujaron todavía no sabían leer, entonces no sabíamos las palabras. Pero —chilló dándole un beso en la nariz— hicimos sopa de letras, con tu ayuda, y aquí nos tenés.

—¡Ratones - pepinos - hipopótamos - cocodrilos - paralelepípedos! —cantaban los monigotes corriendo sobre la cama.

—¡Qué lindas son las palabras! Dedales - cacerolas - caracoles - lapiceras - escupideras

Palabras básicas

paralelepípedos: sólido de seis caras paralelas de dos en dos, y cuya base es un paralelogramo

¿por qué no voy a decir escupideras?

Laurita se reía, muy contenta y Humo ya no escuchaba nada porque los monigotes estaban investigándole las orejas y hacían más ruido que una gran tormenta.

El sueño iba cayendo, aterciopelado, sobre todos.

—Tus dibujos son los más hermosos, dijo Crr Crr—, cuando hagas un barco se te llenará de marineros, y en la playa los caracoles harán sonar el viento como una guitarra.

—Si hacés un campo, vendrán las vaquitas y los grillos.

—¡Y el aire será como un refresco!

—¡Dibujá un avión, para que nos lleve de paseo!

Laurita se quedó dormida, dormida... Los monigotes se retiraron despacito, para no molestarla.

—¡Hasta mañana! —sisearon—. ¡Volveremos todos los días!

—Mañana haré un barco... —murmuró Laurita entre sueños—... para que se llene de marineros... y también un circo, y vendrá el elefante más azul y todos comeremos pan con manteca...

La oscuridad se cerró como un ojo de pestañas tibias, mientras los monigotes se acomodaban en sus casitas. En un descuido de mamá monigota, un chiquitín se asomó a la ventana.

—¡Aaatchís! —estornudó—. ¡Laurita, por favor, mañana hacenos una calesita y un kiosco de caramelos!

Palabras básicas

sisearon: hicieron un sonido con la "s" para llamar la atención de alguien

Responde

¿Qué harías para enseñarle a hablar a alguien?

Además de sus habilidades como poeta, cuentista y ensayista, **Laura Devetach** se ha distinguido como guionista de televisión. Fue premiada por sus guiones para *La luna de canela*.

Actividades
Descubre el sentido

Analiza la lectura

Recuerda

1. En *El pueblo dibujado*, ¿qué materiales usa Laurita para trazar sus dibujos?
2. ¿Cómo reaccionan Humo y Laurita al darse cuenta de que alguien vive en el pueblo dibujado?

Interpreta

3. ¿Qué lección quiere Laura Devetach que aprendan los lectores de *El pueblo dibujado*?

Avanza más

4. Explica cómo los actos de bondad de Laurita en *El pueblo dibujado* podrían influir en tu propia vida.

Para leer mejor

Cómo analizar el tema

En los cuentos como los que acabas de leer, a menudo, es bastante fácil hallar el mensaje. El **tema**, o mensaje del cuento, se revela a través de las experiencias de los personajes.

Recuerda los diagramas que hiciste para Laurita y los monigotes que te ayudaron a descubrir el tema.

1. ¿Qué aprende Laurita sobre la ayuda al prójimo?
2. ¿Qué aprenden los monigotes sobre la comunicación?
3. ¿Cuál es el tema central de *El pueblo dibujado*?

Ideas para escribir

Un cuento, mediante su tema, puede darte buenos consejos.

Cuento original Escribe un cuento en el cual un objeto cobra vida repentinamente. ¿Qué mensaje te gustaría transmitir? Usa las experiencias de personajes ficticios para ilustrar tu mensaje.

Cartas de consejos Escribe dos cartas para la columna de consejos del periódico. La primera debe ser de Laurita, de *El pueblo dibujado*, en la cual dice que no sabe qué hacer para ayudar a los monigotes. La segunda, debe ser la respuesta que le aconseja y le alienta.

Ideas para proyectos

Mural Con algunos de tus compañeros, haz un mural que ilustre la pared de la casa de *El pueblo dibujado*, en varias etapas: antes de que Laurita empiece a trazar su primer dibujo y los cambios que realiza a petición de los monigotes. Escribe leyendas para explicar cada sección del mural.

¿Estoy progresando? Toma unos minutos para responder a las siguientes preguntas:

¿Qué sucesos me ayudaron a descubrir el tema de cada lectura?

¿En qué otros tipos de literatura puedo buscar el tema? ¿Qué indicios me ayudan a reconocerlo?

Actividades

Presentación

Otra vez el garbanzo peligroso de Laura Devetach
El arbol más alto de Gustavo Roldán
De profesión fantasma de Gloria Fuertes

¿Has imaginado lo qué sucedería si fueras un personaje de un cuento?

Aplica lo que sabes

En películas, en libros, en cuentos folklóricos y en los cuentos de hadas de todas partes del mundo hay personajes fascinantes. Son de diferentes tamaños y formas y tienen una variedad de talentos y habilidades. Teniendo en mente algunos de los personajes imaginarios con que te has topado, haz una o ambas de las siguientes actividades:

- Haz un boceto o unos apuntes sobre las características de un animal que sea un personaje interesante de un cuento de hadas, de una película o de un libro.
- En grupo, haz una pantomima (o actuación muda), de personajes interesantes de películas que hayas visto o de cuentos que hayas leído.

Lee activamente

Cómo identificar causa y efecto

Los personajes ficticios nos fascinan por todas las cosas asombrosas que pueden hacer. A veces, los hechos se desarrollan de la manera más sorprendente. Pon atención a la manera en que algunos acontecimientos llevan a otros. Al identificar **causa y efecto**, apreciarás aún más la lectura.

Prepara una tabla como la que sigue y al hacer las lecturas anota las **causas** y los **efectos** de los actos de los personajes.

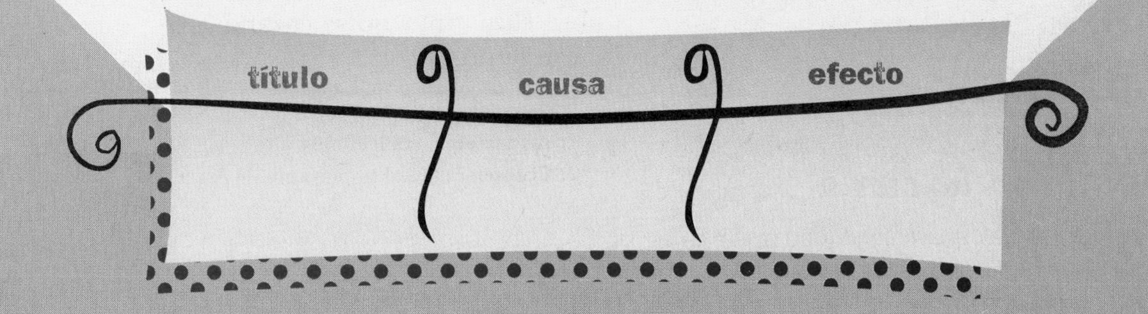

Otra vez el garbanzo peligroso

Laura Devetach

De todo esto me enteré leyendo el diario: Sobre el andamio altísimo del piso número 18 de un altísimo rascacielos[1] de la ciudad de Córdoba,[2] se hamacaba el garbanzo peligroso.

¿Cómo llegó allí? Rodando, por supuesto. Y cantaba:

—Din, don
el garbanzo
en su sillón.
Din-don-dela
la garbanza
con su abuela.

Y justo justo, en medio del canto del garbanzo, se despertó el gato del andamio y lo vio.

Hizo ¡ffff! y quiso cazarlo con la uña.

1. **rascacielos:** edificio muy alto
2. **Córdoba:** ciudad importante de Argentina

Palabras básicas

andamio: plataforma colgante de metal o madera que se usa en las construcciones

Pero el garbanzo hizo ¡pup! y se metió en una lata de pintura y allí se disfrazó por un tiempito de garbanzo azul. Y saltó de nuevo al andamio. Pero la lata de pintura se cayó, empujada por el gato, sobre un señor que subía una bolsa de arena tirando de una soga. El señor soltó la soga la bolsa cayó sobre una usina eléctrica que hizo "¡pffizzzzz!" y chisporroteó cables larguísimos que saltaron como fideos fritos, para todos lados.

Los cables hicieron ¡chas! ¡chas! y chicotearon sobre los autos de la calle.

Y el primer auto hizo... ¡Como ustedes se imaginan! ¿Cómo? Bueno, así.

Y chocó con el de más atrás y el de más atrás.

Y el de más atrás, fue chocando con el otro y con el otro y con el otro, hasta llegar a la ruta, siempre para atrás.

Y después a otra ciudad, y a la frontera, y a otro país y a otro más, y así, chocaron todos los autos dando la vuelta al mundo, hasta llegar otra vez a la esquina del altísimo rascacielos de la ciudad de Córdoba.

Mientras tanto el garbanzo peligroso seguía disfrazado de garbanzo azul, y miraba todo el lío fenomenal desde el andamio. Sorprendidísimo, se hamacaba cantando:

Din, don
el garbanzo
en su sillón.
din-do-dun-do
¡ay qué loco
es este mundo!

Palabras básicas

usina: fábrica de energía eléctrica

Responde

¿Podria suceder lo que se describe en *Otra vez el garbanzo peligroso*? ¿Por qué si o por qué no?

Laura Devetach es argentina. Escribe hermosos cuentos para niños. Como habrán notado en el cuento que leyeron, la autora hace mucho uso de efecto de sonido (como "fff" y "pup") similares a los que se usan en las tiras cómicas.

El árbol más alto

El coatí[1] cachorro se despertó contento, se estiró para un lado y para el otro, y pensó que la mañana estaba muy linda para arruinarla lavándose la cara. Total mientras uno duerme no se ensucia y entonces qué sentido tenía, y listo.

Dio dos pasos para atrás tomando impulso, miró hacia el árbol más alto, y corrió y corrió y trepó por el tronco hasta llegar a la punta.

Ahí, en la última rama, era como estar cerquita del cielo.

—Si este árbol fuera un poquito más grande —pensó— podría tocar alguna nube.

Siempre le pasaba lo mismo. Y cada mañana trepaba a un árbol más alto, pero del cielo, nada.

—Bueno —se dijo—, ya que estoy aquí voy a aprovechar para mirar lejos.

Eso también hacía todas las mañanas, miraba lejos. Y estaba contento mirando lejos y descubriendo mundos.

En esos días las cosas andaban bien para el pequeño coatí[1]. Tenía árboles para trepar, mucho mundo para descubrir, y una mamá y un papá coatí que eran casi los

---

1. coatí: pequeño mamífero de América, de la familia de los ursídeos, de cola y nariz largas.

mejores. Le costaba un poco enseñarles cómo deben ser una mamá y un papá, pero aprendían rápido. Un poquito más y podrían ser los mejores del mundo.

Pero lo que no había forma de hacerles entender era que la vida puede ser muy aburrida si uno no se trepa a los árboles.

Creían que subir a los árboles era sólo subir a los árboles. Les costaba entender que llegar a la punta de la rama más alta era eso, sí, pero también un montón de cosas más.

—Sí, sí —decía el coatí papá—. ¿Pero qué otra cosa?

—Uf —decía el coaticito, molesto porque su papá no entendía—, es como comer una naranja muy dulce cuando uno tiene sed.

—¡Ah! —decía el papá poniendo cara de "ahora sí", pero después preguntaba—, ¿y entonces por qué no te comés una naranja?

—Claro —decía la mamá—. Ya traigo una naranja para cada uno.

—No, yo no quiero —decía el coaticito, y se trepaba corriendo a la punta del árbol.

—¡Ay con este chico! —decía la mamá—. ¡Ahora resulta que no le gustan las naranjas!

—Bueno, bueno —decía el papá—, yo me como las dos y listo.

Áquel era un día para ser saboreado. Era un día para sentir el olor de cada pastito y de cada hoja, y el sabor del viento, y el sabor del sol que se quedaba entibiando las hojas de los árboles.

El coaticito subía y bajaba y volvía a subir, y saltaba de rama en rama y de un árbol a otro, raspándose los brazos y arañándose las orejas con las espinas, y golpeándose en cada salto mal calculado. Y en cada golpe y en cada arañazo sentía un poco de dolor y una cosa que no podía nombrar pero que le corría por todo el cuerpo, y estaba contento.

—¡Coaticito! —llamó el papá—. ¡Es hora de bajar!

—Viajar lejos en la punta de un árbol —contestó.

—¡Coaticito! —llamó la mamá— ¡La comida está lista!

—Un día para saborear el sol —contestó.

—¡Coaticito! —gritaron los dos— ¡Te vas a quedar sin postre!

—El viento tiene olor a naranjas.

—¡¡Coaticito!!

—Un día para descubrir que uno tiene manos y ojos y nariz.

Y entonces el papá coatí se quedó pensando un momento, y haciendo un ademán como quien se saca algo de encima, comenzó a correr y se trepó a la rama más alta, y tenía los ojos brillantes, y saltó de un árbol a otro y otro y otro.

Y la mamá quiso decir "pero ustedes están locos", pero sólo dijo "pero ustedes..." y también corrió y trepó a la rama más alta, y no era más una mamá muy mamá que no trepaba a los árboles, sino una mamá que subía y subía cada vez más.

Cuando bajaron, mucho después, no dijeron nada. Se miraron y era como si hubieran dicho muchas cosas, porque cada uno sabía lo que sentía el otro, y entonces las palabras eran como cáscaras vacías.

—Ahora sí me parece que tengo ganas de comer una naranja —dijo el coaticito.

—Y yo, y yo —dijeron los papás.

—Ésta y ésta y ésta —dijo el papá separando tres naranjas—. Me parece que son las que tienen un poco más de gusto a sol.

Palabras básicas

saboreado: gozado, gustado
ademán: gesto

Gustavo Roldán escribe sobre su infancia, la época en que: "andaba por el río Bermejo, por Fortín Lavalle, ocupadísimo espiando bichos...descalzo y con poquísima ropa". Escribe cuentos para gente en los que recuerda cómo era ser un niño en la provincia de El Chaco en Argentina.

Di si le has enseñado algo a tus padres o a algún otro adulto.

De profesión fantasma

Gloria Fuertes

De profesión: fantasma.
Era alto y delgado; no tenía ojos,
para lo que hay que ver, decía.
Venía a visitarme con frecuencia,
5 nunca pude saber qué fue de vivo,
a veces me parecía hombre y a veces mujer.
Cantar, cantaba.
Nunca se estaba quieto,
oscilaba su luz tan pronto debajo de la puerta
10 como en el techo, como en el pasillo;
se sentaba en todas las sillas de mi casa,
y leía mi correspondencia,
salíamos a pisar hojas las tardes de otoño,
luego le invitaba a cenar y en un descuido se bebía mi sueño,
15 entendía de arte y he de confesaros,
que muchos de mis cuadros los hemos pintado entre los dos.

Ya has leído otros poemas de **Gloria Fuertes**. En este poema la poeta española emplea un tema biográfico y un tono muy familiar.

Responde

Explica cómo podrías crear un objeto hermoso con la ayuda de un(a) amigo(a) imaginario.

Palabras básicas

oscilaba: se balanceaba, se bamboleaba

Actividades: Descubre el sentido

Analiza la lectura

Recuerda

1. En *Otra vez el garbanzo peligroso*, ¿por qué el garbanzo se esconde en una lata de pintura azul?
2. ¿Qué decide hacer el papá coatí al final de *El árbol más alto?*
3. En *De profesión fantasma*, cómo es el fantasma?

Interpreta

4. En *Otra vez el garbanzo peligroso* ¿por qué se mete el garbanzo en una lata de pintura azul? ¿Cuáles son las consecuencias de ello?
5. ¿Qué quiere decir el coaticito cuando dice al principio de *El árbol más alto* que sus padres son "casi perfectos"? ¿Qué hacen al final del cuento que quizás los haga "perfectos"?

Avanza más

6. Escoge uno de los textos y explica cómo, a veces, la gente se comporta como el personaje principal del mismo.

Para leer mejor

Como entender un cuento

Al identificar la **causa** y el **efecto**, en un cuento de hadas, comprenderás cómo un suceso le sigue a otro. El coaticito no viene cuando lo llaman. Como resultado, sus padres se juntan con él en los árboles. Utiliza la tabla de causa y efecto que preparaste para hacer los ejercicios que siguen.

1. Indica dos cosas que ocurren debido a que el garbanzo se subió al andamio.
2. Describe un acontecimiento causado por el coaticito.
3. Explica cómo la serie de acontecimientos culmina en el final del poema, *De profesión fantasma*.

Ideas para escribir

Imagínate cómo serían las cosas desde el punto de vista de un personaje ficticio.

Monólogo Escribe un monólogo en el cual eres el gato de *Otra vez el garbanzo peligroso*. Explica por qué tratas de agarrar al garbanzo y da tu opinión sobre lo que sucedió debido a tus actos.

Diario Imagínate que eres el coaticito y anota en tu diario varios sucesos de tu día.Tus notas deben reflejar un cambio de opinión sobre algo; al principio piensas de una manera, y al final, has cambiado de opinión. Di qué evento te hace cambiar de opinión.

Ideas para proyectos

Dibujos animados Diseña una versión de *El árbol más alto* en forma de una serie de dibujos animados. Pon las ilustraciones de los acontecimientos sobresalientes en orden sucesivo. Indica además el ambiente y los personajes de los acontecimientos que ilustres.

Parodia En grupo, escriban el guión para una parodia de *Otra vez el garbanzo peligroso*. Escriban el diálogo y determinen los efectos sonoros, la música y la puesta en escena. Represéntenla ante la clase.

¿Estoy progresando? Discute las siguientes preguntas con un compañero.

¿Cómo me ayudó la tabla que preparé a identificar causa y efecto?

¿Cómo el poder identificar causa y efecto me ayudará con el estudio de otras materias?

El mundo de la imaginación

Los proyectos...............

Puedes hallar las respuestas a las preguntas que se plantean en esta unidad por tu cuenta o con un grupo. Jamás olvidarás las que obtengas por tu propio esfuerzo a diferencia de las que te dé otra persona. He aquí algunos modos de explorar la imaginación.

Explicaciones Con algunos compañeros de clase, recopila cuentos tradicionales, de ciencia ficción, poemas y ensayos que expliquen de forma imaginativa, cómo será el futuro o cómo ciertas cosas se desarrollaron como son. Recoge lo que encuentres en un cuaderno para compartirlo con la clase.

Cartel de la imaginación La imaginación nos permite ver las cosas ordinarias de manera original y creativa. Haz un cartel que ilustre cómo los autores de los textos que leísfe transformaron acontecimientos cotidianos en narraciones y poemas interesantes y hasta cómicos. Utilizando dibujos o recortes de periódicos, revistas y catálogos, escribe un guión para leerlo en voz alta cuando presentes tu cartel a la clase.

Programa de radio Con un grupo, haz un programa de radio. Entrevisten a Marina de *Marina y la lluvia*, a Laurita de *El pueblo dibujado*, y al coaticito, de *El árbol más alto*. Dos de ustedes pueden hacer de anfitriones y entrevistar a los personajes principales. Preparen las preguntas y respuestas con anticipación, ensayando varias veces antes de grabar una cinta o hacer un vídeo del programa. Presenten la entrevista ante la clase.

Betania
de Ricardo Alcántara e Irene Bordoy

Betania vivía en una pequeña aldea de pescadores en donde era normal oír hablar de yemayá, la diosa del agua, que había enseñado a los pescadores a construir sus redes y que aseguraba que los peces nunca faltasen. La historia nos dice lo que pasa cuando Betania se encuentra con Yemayá.

Cuentos y leyendas de amor para niños
editado por Lourdes Camilo de Cuello

Una colección de relatos de amor y cariño de once países, este libro recoge los rasgos culturales de la tradición indígena, la africana y la europea para que pueda escucharse el mágico rumor del bosque natural, donde logra esconderse la nostalgia.

Los descendientes del Sol y otras leyendas de América
edición de Labor Bolsillo Juvenil

Desde el frío paisaje del norte hasta los extraños paisajes sureños, estas leyendas ofrecen al lector nuevas e insólitas experiencias. Sus personajes tienen el encanto de quienes identifican sus sentimientos con la naturaleza.

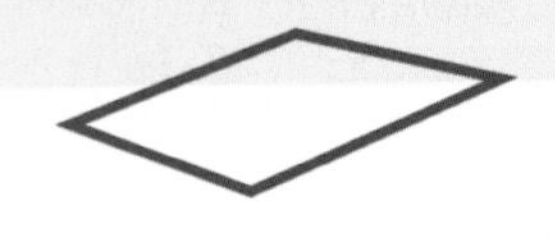

GLOSARIO

A

acogedora *adj. f.*: Cómoda, hospitalaria
acudían (imperf. de *acudir*): Venían, se presentaban
acústico *adj. m.*: Se refiere a algo que se oye
ademán *m.*: Gesto
andamio *m.*: Plataforma colgante de metal o madera que se usa en las construcciones
apacible *adj. f.*: Pacífica
arraigada *adj. f.*: Con las raíces fuertemente conectadas a la tierra
asentí (pret. de *asentir*): Acepté, confirmé
astucia *f.*: Habilidad para engañar o evitar el engaño
atajo *m.*: Senda por donde se abrevia el camino, atrecho
atropelló (pret. de *atropellar*): Empujó, embistió
avaro *adj. m.*: Codicioso
azabache *m.*: Variedad de lignito de color negro intenso

B

baches (sing. *bache*) *m.*: Hoyos que se forman en los caminos o pavimentos de las calles o carreteras
baldío *adj. m.*: Terreno sin cultivar, vacío
barriletes (sing. *barrilete*) *m.*: Cometas, volantes, papalotes, chiringas
baterías (sing. *batería*) *f.*: Conjuntos de tambores; secciones de las bandas o las orquestas
beneficiamos (pres. de *beneficiar*): Aprovechamos, ayudamos
bienhechores (sing. *bienhechor*) *m.*: Gente que hace cosas buenas
bonete *m.*: Gorro chato de los sacerdotes y colegiales

C

cálculos (sing. *cálculo*) *m.*: Acción y efecto de calcular; resultado de pensar
caracol *m.*: Molusco propio de los lugares húmedos
cascote *m.*: Pedazo de yeso o piedra
chanchito *m.*: Puerquito, cochinito, cerdito
chapoteando (ger. de *chapotear*): Haciendo ruido en el agua con los pies o las manos
ciempiés *m.*: Insecto de muchas patas; centípedo, cientopiés
cobertizo *m.*: Techo sobre soportes para proteger de la lluvia o dar sombra
cobijarme (inf. *cobijarse*): Abrigarme, protegerme del frío
colibríes (sing. *colibrí*) *m.*: Pequeños pájaros que extraen el néctar de las flores con sus picos largos y finos
comarca *f.*: Región o distrito
cometa *m.*: Astro que se mueve a gran velocidad por el firmamento
crines (sing. *crin*) *f.*: Cerdas o pelos que tienen los caballos en el cuello
cucurucho *m.*: Cono de papel
cucurucho *m.*: Papel enrollado en forma de cono

D

decretaba (imperf. de *decretar*): Disponía u ordenaba algo
derribado (part. de *derribar*): Caído, demolido
desalentadores (sing. *desalentador*) *adj. m.*: Fatigantes, que quitan el ánimo
desamparo *m.*: Abandono; falta de ayuda o protección
desenterraran (imperf. de subj. de *desenterrar*): Sacaran las raíces del suelo
deslizaba (imperf. de *deslizar*): Resbalaba
despensa *f.*: Lugar donde se guarda la comida o provisiones
desperezarse *v.*: Estirarse para librarse del entumecimiento
despiadado *adj. m.*: Cruel, inhumano
diminuta *adj. f.*: Pequeñísima
discurría (imperf. de *discurrir*): Reflexionaba, imaginaba

E

empeño *m.*: Vivo deseo de hacer o conseguir algo
en desbandada *adv.*: Separados
encajadas (sing. *encajada*) *adj. f.*: Ubicadas de modo que se ajusten una a otra
encanece (pres. de *encanecer*): Llena de canas (pelo blanco)
enchastrar *v.*: Ensuciar, embarrar
entretejidas (sing. *entretejida*) *adj. f.*: Enlazadas
escalarlo (inf. *escalar*): Trepar por él
escarabajos (sing. *escarabajo*) *m.*: Insectos de caparazón duro, negro y brillante
escenario *m.*: Lugar del teatro donde actúan los personajes
escéptico *adj m.*: Persona que duda mucho y no tiene fe
escollo *m.*: Obstáculo
esparcen (pres. de *esparcir*): Desparraman
estafa *f.*: Robo mediante el engaño
estéril *adj. f.*: Se aplica a lo que no da fruto

F

fachada *f.*: Lado visible del exterior de un edificio
frutilla *f.*: Fresa

G

gallardía *f.*: Valor, gracia
garras (sing. *garra*) *f.*: Patas de un animal armadas de uñas corvas, fuertes y afiladas
gorrión *m.*: Pequeño pájaro de plumaje gris oscuro
grato *adj. m.*: Agradable
gruta *f.*: Cueva
gualdas (sing. *gualda*) *adj. f.*: Color entre amarillo y dorado

H

herrumbraba (imperf. de *herrumbrar*): Se oxidaba como el hierro
higuera *f.*: El árbol del higo

I

insidioso *adj. m.*: Malintencionado

J

jalando (ger. de *jalar*): Halando, tirando de algo

L

lanzas (sing. *lanza*) *f.*: Armas compuestas de un asta con un hierro puntiagudo

M

mártir *m.*: Persona perseguida por sus opiniones
mece (pres. de *mecer*): Mueve o menea acompasadamente
monigotes (sing. *monigote*) *m.*: Muñecos o figuras grotescas hechas de trapo o de papel
muelle *m.*: Construcción en los puertos donde se cargan y descargan los barcos

O

oblicuas (sing. *oblicua*) *adj. f.*: Inclinadas; ni horizontales ni verticales
oscilaba (imperf. de *oscilar*): Se balanceaba, se bamboleaba

P

palpaba (imperf. de *palpar*): Tocaba algo con las manos para reconocerlo
paralelepípedos (sing. *paralelepípedo*) *m.*: Sólido de seis caras paralelas de dos en dos, y cuya base es un paralelogramo
pasar por alto *v.*: Perder, dejar pasar
piolines (sing. *piolín*) *m.*: Cuerdas o hilos finos
placas (sing. *placa*) *f.*: Láminas
plumero *m.*: Conjunto de plumas que se utiliza para limpiar el polvo
precoces (sing. *precoz*) *adj. f.*: Que maduran antes de lo acostumbrado
proezas (sing. *proeza*) *f.*: Hazañas, actos valerosos o heroicos

R

raído *adj. m.*: Usado, gastado
rebuzna (pres. de *rebuznar*): Sonido que hace el burro al quejarse
regazo *m.*: Falda
repiqueteando (ger. de *repiquetear*): Tintineando, tañendo o sonando repetidamente
requesón *m.*: Queso que se forma con los residuos de la leche
restregara (imperf. de subj. de *restregar*): Limpiara con fuerza frotando
revoloteo *m.*: Acto de volar dando vueltas
rezongó (pret. de *rezongar*): Gruñó, refunfuñó a lo que se mandó o propuso
rugidos (sing. *rugido*) *m.*: Voces del león, bramidos

S

sable *m.*: Espada
saboreado *adj. m.*: Gozado, gustado
se deshace (pres. de *deshacerse*): Se destruye
se estremece (pres. de *estremecerse*): Tiembla, se conmueve
se propuso (pret. de *proponerse*): Decidió
sequía *f.*: Falta de lluvia durante mucho tiempo
silbidos (sing. *silbido*) *m.*: Sonidos que se producen al silbar
sinvergüenza *adj. m.*: Persona que no siente vergüenza; descarado
sisearon (pret. de *sisear*): Hicieron un sonido con la "s" para llamar la atención de alguien
supersticiosos (sing. *supersticioso*) *adj. m.*: Personas que creen en fuerzas ocultas

T

templado *adj. m.*: Moderado
teniente *m.*: Oficial inmediatamente inferior al capitán
terrones (sing. *terrón*) *m.*: Masas pequeñas de tierra apretada

U

umbral *m.*: Entrada a una casa o a un cuarto
usina *f.*: Fábrica de energía eléctrica

V

veneramos (pres. de *venerar*): Adoramos, respetamos
verbena *f.*: Planta medicinal
vizcacha *f.*: Mamífero roedor parecido a la liebre que tiene la cola larga
volteretas (sing. *voltereta*) *f.*: Vueltas del cuerpo en el aire
vos imaginate (imp. de *imaginarse*): Mandato informal (*imagínate*) que se oye en partes de Latinoamérica
vueltas de campana (sing. *vuelta de campana*) *f.*: Vueltas de carnero

Z

zapatillas (sing. *zapatilla*) *f.*: Calzado especial para practicar deportes

Acknowledgments (continued)

Aberlardo Delgado
Abelardo Delgado, "Homenaje a los padres chicanos" ©1980 reprinted by permission of the author.

Dial Books for Young Readers, a division of Penguin Books USA Inc.
"Una hermosa amistad" from *Going Home* by Nicholasa Mohr. Copyright © 1986 by Nicholasa Mohr. Translated and reprinted by permission of Dial Books for Young Readers, a division of Penguin Books USA Inc.

Ediciones Amaquemecan
Claudia Ivanova Molina Cifuentes, "El juicio de los árboles contra el hombre", from *Cuentos de Arena,* edited by Martha Sastrías, copyright ©1994 Editorial Amaquemecan. Isabel Suárez de la Prida, "Capas de papel" from *Cuentos de Amecameca* , by Isabel Suárez de la Prida, copyright ©1986 Editorial Amaquemecan. Reprinted by permission of Ediciones Amaquemecan.

Ediciones Colihue
Laura Devetach, "Puro cuento del caracol Bú", "Otra vez el garbanzo peligroso", "Guy" and "Marina y la lluvia" from *Monigote en la arena.* "El pueblo dibujado" from *La torre de cubos* both books from the Collection "Libros del Malabarista", Ediciones Colihue. Gustavo Roldán, "El día de las tortugas" , "El árbol más alto", and "Sobre lluvias y sapos" from *El monte era una fiesta,* from the Collection "Libros de Malabarista", Ediciones Colihue. Reprinted by permission of Ediciones Colihue.

Ediciones SM
"El Muro" by Ángel Estebán, Ediciones SM, Copyright ©1989, Madrid, Spain. Reprinted by permission of SM Ediciones.

Estate of Ángel Flores
"El Libro talonario" by Pedro Antonio de Alarcón, from *Cuentos Españoles,* edited by Ángel Flores. Copyright © 1960 by Bantam Books, Inc. Reprinted by permission of the Estate of Ángel Flores.

Gloria Fuertes
"El burro del carpintero", "De profesión fantasma" , "Las cosas" and "Ventanas pintadas" by Gloria Fuertes from *Antología Poética* by Gloria Fuertes, PLAZA & JANES, S.A. Reprinted by permission of the author.

Heirs of Nicolás Guillén
"La muralla" by Nicolás Guillén from *La paloma de vuelo popular* ©1972. Reprinted by the permission of the heirs of Nicolás Guillén.

International Creative Management, Inc.
El abuelo y la estatua by Arthur Miller. Copyright 1945 by Arthur Miller. Translated and reprinted by permission of International Creative Management, Inc.

Heirs of Juan Ramón Jiménez
"Platero" by Juan Ramón Jiménez, from *Platero y yo.* Reprinted by permission of the heirs of Juan Ramón Jiménez.

Heirs of Federico Garcia Lorca
"Caracola" by Federico Garcia Lorca from *Obras Completas,* (Aguilar, 1993). © Herederos de Federico Garcia Lorca. All rights reserved. Reprinted by permission of the Heirs of Fredrico Garcia Lorca, c/o William Peter Kosmas, Esq., 77 Rodney Court, 6/8 Maida Vale, London W9 1 TJ, England.

Héctor Mozó Ramírez
"Yo no tengo soledad" by Gabriela Mistral. Reprinted by permission of Father Héctor Mozó Ramírez, administrator of the author's rights.

Museum of New Mexico Press
"El muchacho y el abuelito" from *Cuentos: Tales from the Hispanic Southwest* by José Griego y Maestas and Rudolfo Anaya, copyright 1980. Reprinted with the permission of Museum of New Mexico Press.

Simon J. Ortiz
"Historia de cómo se sostiene una pared" by Simon J. Ortiz. Translated and reprinted by permission of the author.

University Press of New England
"El gimnasta" by Gary Soto. Reprinted with permission from *A Summer Life* © 1990 by the University Press of New England.

Editorial Planeta
"Murrungato del zapato" and "La sombrera" ©1995, María Elena Walsh y Compañía Editora Espasa Calpe Argentina, SA. Reprinted by permission of Editorial Planeta.

Joseph D. Younger
"Tú puedes elegir" by Joseph D. Younger. First appeared in *Amtrak Express,* July/August 1992. Translated and reprinted by permission of the author.

Note: Every effort has been made to locate the copyright owner of material reprinted in this book. Omissions brought to our attention will be corrected in subsequent printings.

Photo and Fine Art Credits

Cover: *Colores y sabores de nuestra cultura* (Colors and Flavors of Our Culture) Vincent Valdez, Burbank High School San Antonio, TX. Photographed by John Lei/Omni-Photo Communications, Inc.; **2:** Uri Tamez; **4-5:** Wolfgang Kaehler/Liaison International; **7:** *La DéCouverture,* Jean-Claude Gaughy mixed media on hand- carved wood 48 x 60 inches Courtesy of the artist, GAUGY INC.; **10:** *"Portrait of Virginia",* 1929 Frida Kahlo Schalkwijk/Art Resource, New York; **11:** (top) *Orange Sweater* 1955 Elmer Bischoff, oil on canvas. 48 1/2" x 57" San Francisco Museum of Modern Art, Gift of Mr. and Mrs. Mark Schorer (bottom) Photo by Ruben Guzman; **13:** Courtesy of the author; **14:** (inset) G.C. Kelley/Photo Researchers; **14-15:** Anupemanoj Shah/Earth Scenes; **19:** Courtesy of the author; **20-21:** Comstock; **24:** (background) Dan Potash; **24:** (inset) Myrleen Ferguson/PhotoEdit; **29:** Bridgeman/Art Resource, New York; **30:** Courtesy of the author; **33:** Courtesy of the Artist; **36:** © Douglas Smith 1990; **39:** (top) *Celestino,* Harley Brown, pastel 23 x 15, courtesy of the artist; (bottom) Prentice Hall; **40:** (inset) David Burckhalter Photography; (background) Vera Bradshaw/Photo Researchers; **43:** (background) Dan Potash; **45:** Bruce Coleman; **46-47:** (top) NASA; (bottom) Harald Sund/The Image Bank; **47:** (top) Jack Baker/The Image Bank; (bottom) The Bettmann Archive; **48:** (background) Dan Potash; **50:** Dan Potash; **52-53:** Photo By Silver Burdett Ginn; **55:** Photo By Silver Burdett Ginn; **56:** Arte Publico Press, Photo by Phil Cantor; **59:** Courtesy of the artist; **61:** Phillip Bailey/The Stock Market; **63:** (top) Art Resource, New York; (bottom) Courtesy of the author; **64:** Dan Potash; **68:** Tom Owen Edmunds/The Image Bank; **69:** Tom Owen Edmunds/The Image Bank; **70:** Courtesy of the author; **71:** Tony Friedkin/Photofest; **72:** Tony Friedkin/Photofest; **73:** Francois Duhmel/Photofest; **74 :** Photofest; **77:** Barry Fanton/Omni-Photo Communications; **80:** Paul S. Conklin/PhotoEdit; **81:** Robert Fried/Stock Boston; **82:** Instituto Cervantes; **83** (top) Dan Potash; (bottom)**:** Photo by Ruben Guzman; **84:** Robert Frerck/Odyssey/Chicago; **85:** Superstock; **86-87:** Chad Ehlers/

Photo and Fine Art Credits (continued)

International Stock; **91:** The Estate of Keith Haring; **95:** Dag Sundberg/The Image Bank; **96:** Rentmeester, Co./The Image Bank; **97:** Capece/ Monkmeyer; **98:** (background) Dag Sundberg/Image Bank; (inset) Courtesy of the Author, Photo by Carolyn Soto; **101:** Superstock; (inset) William Johnson/Stock Boston; **102-103:** William Johnson/Stock Boston; **104:** Superstock; **105:** Courtesy of the author; **108:** Jeff Greenberg/Omni-Photo Communications; **109:** The Granger Collection, New York; **111:** Courtesy of The Library of Congress; **112-113:** Bartholdi workshop during building of Statue of Liberty, Musée Bartholdi, Colmar, France. Photograph by C. Kempf.; **115:** Grace Davies/Omni-Photo Communications; **116:** Ron Watts/Black Star; **117** (top) Artwork from the permenant collection of THIRTEEN/WNET's Student Arts Festival, 1978-1993; (bottom) © Garcia Stills/Retna Pictures, Ltd; **118:** (top) Lou Bopp; (bottom) Courtesy of The Author; **121:** *Gatescape* Joseph Reboli, oil on canvas 20" x 36" Gallery Henoch; **123:** Courtesy of The Author; **124:** Superstock; **125:** Superstock; **126:** Bob Firth/International Stock ; **127:** Courtesy of the author; **137:** Christina Salvador; **141:** (bottom) Courtesy of the author; **141:** (top) Art Stein/Photo Researachers; **142:** Dan Potash

Illustration

Barbara Abramson: **12-13**;
Rita Lascaro: **16**, **17-18**;
Dan Potash: **9**, **24**, **26**, **35**, **44**, **94**, **97**, **113**, **114**, **130**, **131**, **132**, **133**, **134**, **135**, **136**, **140**, **144**

Electronic Page Makeup

Curriculum Concepts

Photo Research Service

Omni-Photo Communications, Inc.